Frédéric Sauvé
514-954-9003

D1125696

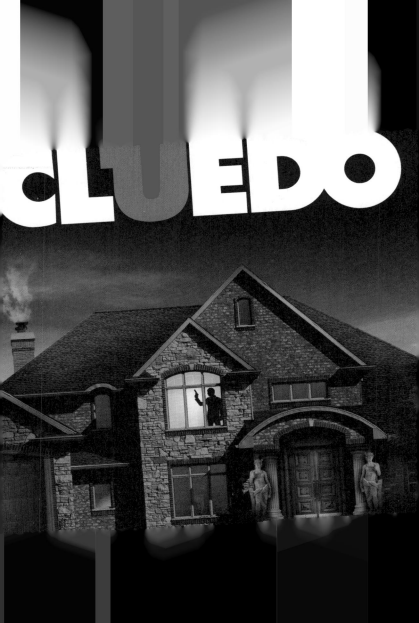

© Hachette Livre, 2012.
Écrit par Michel Leydier.
Conception graphique du roman : Audrey Thierry.

Hachette Livre, 43, quai de Grenelle, 75015 Paris.

AVENTURES SUR MESURE

CLUEDO

Mademoiselle Rose

hachette JEUNESSE

COMMENT LIRE CE LIVRE ?

6

T on instinct t'ordonne de te méfier. Les assassins sont par définition des gens dangereux. Il n'est pas question d'annoncer à la cantonade que tu vas essayer de démêler le vrai du faux. Qui sait comment le meurtrier du docteur Lenoir réagirait en apprenant que tu lui déclares la guerre ? Méfiance !

Tu décides donc d'agir discrètement, dans le plus grand secret.

Deux stratégies s'opposent.

 Si tu choisis de laisser les autres venir à toi, va au 42.

Si tu préfères aller vers eux, va au 71.

LES CHOIX

À CHAQUE FIN DE CHAPITRE, CE VISUEL T'INDIQUE OÙ CONTINUER TA LECTURE. S'IL ANNONCE « VA AU 15 », TU DEVRAS CHERCHER LE CHAPITRE 15 POUR CONTINUER TON AVENTURE. ATTENTION, PARFOIS, PLUSIEURS CHOIX TE SONT PROPOSÉS… À TOI DE FAIRE LE BON !

Le miroir de ta salle de bains te renvoie l'image d'une très belle jeune femme. Le monde entier connaît ton visage car tu as joué dans des films qui ont rencontré un succès planétaire. Malheureusement, depuis quelque temps, les propositions se sont faites plus rares et tu crains que le public ne t'ait un peu oubliée.

Tu brosses tes cheveux avec application en repensant à tes moments de gloire, lorsque la sonnerie de ton téléphone retentit. Aussitôt, tu penses à ton agent. Un nouveau rôle pour toi ? Ton cœur se met à battre la chamade et tu te précipites sur l'appareil.

— Allô, Mademoiselle Rose ?

— Oui, réponds-tu, déjà déçue, car ce n'est pas la voix de ton agent. Qui est à l'appareil ?

— Le docteur Lenoir !

Évidemment ! Tu aurais dû t'en douter : il t'a déjà laissé un message en te prévenant qu'il te rappellerait.

— J'ai invité quelques amis que vous connaissez à venir dîner chez moi vendredi prochain, t'annonce-t-il. Vous vous souvenez certainement de Mesdames Pervenche et Leblanc, ainsi

LES CHAPITRES

POUR REPÉRER LES CHAPITRES, CHERCHE LES NUMÉROS COMME CELUI-CI. ILS APPARAISSENT EN HAUT DE PAGE.

VOUS AVEZ
UN NOUVEAU MESSAGE

Le docteur Lenoir a laissé un message sur votre répondeur.
Il ne devrait pas tarder à vous rappeler.
Espérons que ce coup de fil débouche
sur quelque chose de positif…

Mademoiselle Rose
C'est toi !

Actrice en vue, tu fais très attention à ton apparence. Ce qui se comprend : non seulement le physique est un élément primordial pour exercer ton métier, mais en plus, tu es particulièrement jolie, il faut bien l'avouer !

Attention cependant, il faut éviter les idées reçues : l'habit ne fait pas le moine, et ce n'est pas parce que tu es belle que tu es stupide, bien au contraire !

À toi de jouer !

LES SUSPECTS

Madame Pervenche

Madame Pervenche a su se faire une place de politicienne dans ce milieu principalement masculin. Elle y est respectée… et crainte aussi !

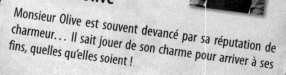

Monsieur Olive

Monsieur Olive est souvent devancé par sa réputation de charmeur… Il sait jouer de son charme pour arriver à ses fins, quelles qu'elles soient !

Madame Leblanc

Madame Leblanc est une éminente avocate. Prête à tout pour faire régner la justice, elle en fait trembler plus d'un...

Monsieur Violet

Monsieur Violet pourrait être qualifié de génie ! Inventeur de renommée internationale, il est doté d'une intelligence hors normes...

Monsieur Moutarde

Monsieur Moutarde est un expert en arts martiaux. Mieux vaut ne pas le mettre en colère : sa force herculéenne est une légende dans le monde sportif !

LES PIÈCES DE LA VILLA

La villa du docteur Lenoir est grandiose !
Cuisine, salon, bureau, chambre,
salle de jeux… pour explorer le moindre
recoin de cette immense maison,
une vie entière n'y suffirait pas !

LES ARMES DU CRIME

La corde

Le pistolet

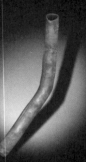

Le tuyau

**La clef
à molette**

Le poignard

Le chandelier

Qui n'a jamais rêvé d'enquêter sur un crime ?

Toi qui dévores les romans policiers, qui essaies de deviner le coupable d'une série policière avant tout le monde, tu vas enfin pouvoir mener ta propre enquête !

En participant à cette aventure Cluedo, toi, Mademoiselle Rose, tu devras élucider un meurtre. Pour cela, il te faudra faire preuve d'intelligence, de psychologie et de perspicacité. Tu vas avoir pour lourde tâche de découvrir l'identité du coupable, l'arme qu'il a utilisée, ainsi que son mobile.

Si tu ne tournes pas de l'œil à la vue d'une goutte de sang et ne crains pas de tomber sur un cadavre, tourne la page...

Le miroir de ta salle de bains te renvoie l'image d'une très belle jeune femme. Le monde entier connaît ton visage car tu as joué dans des films qui ont rencontré un succès planétaire. Malheureusement, depuis quelque temps, les propositions se sont faites plus rares et tu crains que le public ne t'ait un peu oubliée.

Tu brosses tes cheveux avec application en repensant à tes moments de gloire, lorsque la sonnerie de ton téléphone retentit. Aussitôt, tu penses à ton agent. Un nouveau rôle pour toi ? Ton cœur se met à battre la chamade et tu te précipites sur l'appareil.

— Allô, Mademoiselle Rose ?

— Oui, réponds-tu, déjà déçue, car ce n'est pas la voix de ton agent. Qui est à l'appareil ?

— Le docteur Lenoir !

Évidemment ! Tu aurais dû t'en douter : il t'a déjà laissé un message en te prévenant qu'il te rappellerait.

— J'ai invité quelques amis que vous connaissez à venir dîner chez moi vendredi prochain, t'annonce-t-il. Vous vous souvenez certainement de Mesdames Pervenche et Leblanc, ainsi que de Messieurs Olive, Violet et Moutarde ? Je serais très heureux que vous acceptiez de vous joindre à nous.

— Avec plaisir, mens-tu.

Tu as envie de tout sauf de perdre ton temps dans une soirée ennuyeuse, mais il est difficile de refuser. De toute façon, tu n'as rien à perdre et, en y réfléchissant mieux, tu te dis que... le docteur est milliardaire et qu'il a des amis influents. Madame Pervenche mène une brillante carrière politique ; Madame Leblanc est une avocate dont la réputation n'est plus à faire ; Monsieur Olive est un homme d'affaires très en vue... Qui sait ? Peut-être que ce dîner sera l'occasion d'une rencontre décisive ?

La roue finit toujours par tourner. Ce dîner sonnera l'heure de ta nouvelle carrière. Tu raccroches, tout excitée, et attends vendredi soir avec une impatience grandissante.

 Va au 2.

l est environ 19 heures et tous les convives du docteur Lenoir sont réunis dans le salon. Votre hôte vous a accueillis les uns après les autres avec la gentillesse qui le caractérise. Les femmes sont sur leur trente et un : Madame Pervenche porte un tailleur beige et Madame Leblanc un ensemble pantalon et chemisier blancs. Quant à toi, tu as opté pour une robe de soirée rouge.

Les hommes sont plus décontractés : Messieurs Olive et Moutarde sont en sportswear. Seul Monsieur Violet est venu en costume.

Dès ton entrée dans la pièce, tu as remarqué qu'il y régnait une atmosphère étrange : il y a comme de l'électricité dans l'air. Vous vous interrogez tous sur le sens de cette soirée.

— Mes chers amis, déclare soudain le docteur, je vous remercie d'avoir accepté mon invitation. Outre le plaisir que j'ai à vous recevoir, en voici la véritable explication : j'ai inventé un nouveau jeu de société. Si vous le voulez bien, nous allons le tester ensemble.

Aussitôt, un vent de soulagement parcourt l'assemblée. Fier de sa petite mise en scène, le docteur savoure son effet.

— Excellente idée, docteur ! s'exclame Madame Leblanc.

— Oui, vraiment, très heureuse initiative ! renchérit Monsieur Moutarde.

— Je ne vais pas tout vous expliquer maintenant, reprend le docteur. Dans un premier temps, je vais vous demander de vous bander les yeux.

Il sort de sa poche une demi-douzaine de foulards de couleur différente et les distribue.

— Dans un court instant, je quitterai cette pièce, poursuit-il. Vous n'aurez absolument pas le droit de communiquer entre vous durant mon absence. Avant de vous laisser, je vais vous passer de la musique, à un niveau sonore élevé, afin que vous en soyez imprégnés. Vous devrez l'écouter attentivement. À la fin du morceau, c'est-à-dire dans cinq minutes environ, vous retirerez vos foulards et vous viendrez tous me rejoindre dans la salle à manger. Je vous donnerai alors la suite des consignes et le jeu commencera réellement. Tout le monde a bien compris ?

Les yeux déjà dissimulés par des carrés de tissus multicolores, vous acquiescez tous, un petit sourire aux lèvres, excités par le jeu.

— Amusez-vous bien ! conclut le docteur.

Une pression sur un bouton de la télécommande et un standard de jazz interprété par Charlie Parker envahit le salon. Le cri du saxophone déchire le silence quand la porte du salon se referme en claquant discrètement.

Te voilà, comme les cinq autres convives du docteur, livrée à toi-même, dans le noir, avec l'interdiction de parler. Tu n'as plus qu'une chose à faire : te concentrer sur la musique...

Dans moins de cinq minutes, tu en sauras davantage…

 Après le temps imparti, toi et les autres cobayes du docteur allez le retrouver dans la salle à manger au 3.

— Aaah ! s'écrie, horrifiée, Madame Pervenche en ouvrant la porte de la salle à manger.

— Que se passe-t-il ? interroge Monsieur Violet en se précipitant.

Madame Leblanc est blême. Elle semble sur le point de s'évanouir.

— Malheur ! s'exclame Monsieur Olive. Vous pensez qu'il est vraiment... ?

— Ça fait peut-être partie du jeu... ? suggère Monsieur Moutarde.

Quant à toi, dernière à entrer dans la salle à manger, tu te penches sur le corps du docteur Lenoir, allongé sur le carrelage, inanimé. Ses yeux sont révulsés ; il ne donne aucun signe de vie.

Tu n'as jamais passé ton brevet de secourisme mais tu as le réflexe de soulever son avant-bras pour prendre son pouls. Hélas, tu ne détectes aucune palpitation. Tu approches un doigt de ses narines : aucun souffle non plus !

— Le docteur est mort ! déclares-tu.

Cette fois, Madame Leblanc s'évanouit pour de bon, Madame Pervenche se met à hurler de plus belle, tandis que les hommes prennent un air grave, de circonstance. Quelques secondes s'écoulent, qui paraissent durer des heures.

— Si c'est une plaisanterie du docteur, elle n'est pas de très bon goût ! finit par dire Monsieur Violet. Il nous a habitués à mieux.

— C'est peut-être une crise cardiaque ? suggère Monsieur Olive.

— Il est rare qu'une crise cardiaque provoque des rougeurs dans le cou, répliques-tu avec assurance. Le docteur a été assassiné !

— Vous êtes médecin légiste ? t'agresse Monsieur Violet. Je vous croyais ancienne actrice.

— Je suis toujours actrice ! rectifies-tu, vexée. Et il n'est pas nécessaire d'être médecin ou inspecteur de police pour constater que ces traces dans le cou du docteur sont fraîches. En tout cas, elles n'apparaissaient pas sur lui tout à l'heure dans le salon. Tout le monde ici en est témoin.

Madame Leblanc a recouvré ses esprits.

— Mais c'est impossible ! s'écrie-t-elle. Qui aurait pu tuer le docteur ?

— L'un de nous ! réponds-tu froidement. Qui d'autre ? Nous sommes seuls dans cette maison.

Le docteur Lenoir a été assassiné pendant que vous écoutiez Charlie Parker et le meurtrier se trouve forcément parmi vous puisque personne ne s'est introduit dans la maison depuis que vous êtes arrivés. Le jeu de société de votre hôte a viré au drame ! Et tu as bien l'intention de faire la lumière sur cette incroyable histoire.

 Va vite au 4.

Vous êtes toujours tous les six autour du corps du docteur et personne n'a encore pris la moindre initiative.

— La première chose à faire est de prévenir la police, annonces-tu.

Il y a, sur le buffet de la salle à manger, un téléphone fixe. Monsieur Moutarde, qui se trouve à proximité, décroche l'appareil et s'apprête à composer le numéro d'urgence. Mais il devient blanc comme un linge.

— Il n'y a pas de tonalité, lâche-t-il.

— Le docteur était au téléphone lorsque je suis arrivée, fait observer Madame Pervenche. Je suis formelle.

— L'assassin a dû arracher les fils, en déduis-tu. Quelqu'un a un portable avec lui ?

Apparemment, chacun a laissé le sien dans un vêtement ou son sac à main, dans le hall.

Vous quittez tous la pièce pour vous y rendre et constatez que l'assassin a aussi pris la précaution de faire disparaître tous vos portables.

Un vent de panique s'empare de vous.

— Le coupable a cherché à protéger sa fuite, déclares-tu. En coupant les voies de communication, il se donnait le temps de prendre le large.

— Dans ce cas, pourquoi n'est-il pas sorti de la maison directement après son crime ? Pourquoi est-il revenu dans le salon ? interroge Monsieur Violet, peu convaincu par tes explications.

— Sans doute n'en a-t-il pas eu le temps, répond Monsieur Moutarde.

— Certainement, renchéris-tu. S'il n'avait pas le temps de regagner sa voiture et de disparaître avant la fin du morceau, il signait son crime. Conscient du risque, il a préféré venir nous rejoindre.

Vous vous creusez les méninges pour savoir comment agir. Un constat s'impose à toi :

— Nous ne pouvons pas envoyer l'un de nous au hasard au commissariat. Si celui que nous désignons est l'assassin, il ne reviendra jamais !

— Antoine, le majordome du docteur, doit reprendre son service à 20 heures, vous informe Madame Leblanc. Nous l'enverrons prévenir la police dès son arrivée.

Cette solution semble convenir à tout le monde.

En attendant, tu n'as pas l'intention de rester les bras croisés. Tu as interprété de nombreux rôles au cinéma mais tu n'as jamais eu l'occasion de jouer dans un film policier. En revanche, tu as vu plusieurs adaptations de romans d'Agatha Christie et tu as le souvenir de ces huis clos où l'un des héros s'improvise enquêteur et se pique au jeu de l'investigation.

Ce soir, tu as le sentiment que ce rôle te revient. Tu t'appropries donc cette mission. Tu veux être celle qui mènera les débats et fera éclater la vérité.

De plus, tu as fait des études de psychologie avant de te lancer dans ta carrière de comédienne, cette expérience sera pour toi un atout supplémentaire.

Si tu décides d'enquêter en toute transparence, va au 25.

Si tu crois qu'il est préférable de ruser et d'avancer masquée, va au 6.

Tu sais qu'une enquête policière doit s'appuyer sur d'autres choses que seulement l'intuition et la déduction. Il faut aussi des éléments concrets, des preuves tangibles, irréfutables, car on n'envoie pas les gens en prison sur de simples raisonnements, aussi logiques soient-ils.

Si ce manuscrit du docteur ne t'apporte rien, tu te dis qu'il y a peut-être quand même des documents dans ce bureau, ou dans d'autres pièces, qui pourraient te mettre sur la voie.

Madame Leblanc est d'accord avec toi et accepte de t'aider.

Vous consacrez un bon quart d'heure à passer en revue toute la paperasse entreposée sur le bureau et dans les tiroirs. En vain. Rien, dans cette pièce, ne vous aide à progresser dans votre enquête.

Lasse de cet exercice, Madame Leblanc t'abandonne et retourne au salon retrouver les autres, après avoir promis de garder cette aventure entre vous, évidemment.

Si tu penses que ça vaut la peine de fouiller d'autres pièces de la villa, va au 41.

Si tu as besoin de prendre un peu l'air et de réfléchir, va au 27.

Ton instinct t'ordonne de te méfier. Les assassins sont par définition des gens dangereux. Il n'est pas question d'annoncer à la cantonade que tu vas essayer de démêler le vrai du faux. Qui sait comment le meurtrier du docteur Lenoir réagirait en apprenant que tu lui déclares la guerre ? Méfiance !

Tu décides donc d'agir discrètement, dans le plus grand secret.

Deux stratégies s'opposent.

Si tu choisis de laisser les autres venir à toi, va au 42.

Si tu préfères aller vers eux, va au 71.

Tu te glisses hors du salon sans faire de bruit et te diriges vers la salle à manger. Tu en ouvres la porte précautionneusement et t'y introduis.

Tu avais beau savoir que tu le trouverais là, la vue du cadavre de votre hôte te glace le sang. Tu restes un instant plantée face à lui, un peu étourdie, quand deux mains se serrent autour de ton cou et t'étranglent violemment. Ton agresseur te tient si fort que tu ne peux même pas te retourner pour voir son visage.

Tu voudrais appeler au secours, mais ton cri reste dans ta gorge. Tu cherches de l'air mais le passage est obstrué. Tes forces t'abandonnent rapidement.

L'assassin n'a pas apprécié que tu viennes traîner sur les lieux du crime et il te le fait savoir de la plus radicale des façons. Tu paies ta curiosité de ta propre vie. Tu estimes que c'est un peu cher, mais il fallait y penser plus tôt ! Même si tu as été héroïque, tu as tout de même perdu. Quel dommage ! Ton enquête démarrait à peine !

Il y a certainement des façons de résoudre cette énigme en t'exposant un peu moins. Sois plus prudente et recommence !

L e mystère est résolu ; inutile de tergiverser. Une majorité de votants se prononcent pour autoriser Monsieur Olive à aller au commissariat de police du quartier.

Le dénouement approche et vous voilà soulagés. Bientôt, vous pourrez rentrer chez vous et cette soirée ne sera plus qu'un mauvais souvenir.

Mais dès que Monsieur Olive a franchi les grilles de la propriété du docteur Lenoir au volant de sa voiture, Monsieur Moutarde retrouve l'usage de la parole et sort brusquement de sa léthargie :

— Vous venez de faire une erreur monumentale ! Monsieur Olive vous a embobinés ! C'est lui, le coupable !

Vous dévisagez tous Monsieur Moutarde, abasourdis.

— Vous avez des preuves de ce que vous avancez ? souffle Madame Leblanc.

— Nous étions placés à côté l'un de l'autre, dans ces deux fauteuils-là, quand le docteur nous a demandé de nous bander les yeux. Et je suis certain que je l'ai senti se lever pendant le jeu : une jambe m'a effleuré... Plusieurs fois au cours de la soirée, il m'a scruté du regard, persuadé que je savais que c'était lui... Et puis ce qu'il a dit du début de la soirée est entièrement faux : c'est lui qui est arrivé le premier et c'est moi qui ai surpris sa prise de bec avec le docteur !

Vous êtes perplexes. Si Monsieur Moutarde dit vrai, c'est un sacré coup de théâtre et vous vous êtes fait berner comme des bleus !

— Pourquoi n'avoir rien dit plus tôt ? interroges-tu.

Monsieur Moutarde baisse les yeux comme un petit garçon pris en faute.

— Je ne voulais pas courir ce risque. Qui sait comment il aurait réagi ?

— Voyons, Monsieur Moutarde ! objecte Monsieur Violet. Vous êtes un expert en arts martiaux, s'il s'était montré menaçant, vous n'en auriez fait qu'une bouchée !

— On a toujours tendance à penser que les gens qui pratiquent ces sports sont des bagarreurs, répond Monsieur Moutarde. C'est totalement faux. Et surtout, face à un assassin, qu'aurais-je pu faire ?

— En tout cas, reprends-tu, si nous nous sommes réellement trompés, on n'est pas près de revoir Monsieur Olive...

Eh oui : le coupable vous a bel et bien faussé compagnie et il est très loin à présent.

Ton association avec Madame Leblanc est un échec total.

Retiens bien ceci :
ne pas nier un crime ne signifie pas
qu'on est coupable. Maintenant, pourquoi
ne pas recommencer ton enquête ?

C'est dans la cuisine que tu retrouves les convives du docteur. Le majordome tarde à arriver tandis que les appétits se creusent. Mesdames Pervenche et Leblanc ont repéré dans le réfrigérateur des assiettes de petits toasts au saumon et d'autres garnis de charcuterie. Elles s'affairent à les disposer sur de grands plateaux. Pendant ce temps, les hommes débouchent du vin.

Tu sors de ton sac à main un paquet de cigarettes. Tu fumes rarement mais tu aimes bien en avoir sur toi. Tu fais le tour de la pièce pour en proposer.

— J'ai arrêté depuis longtemps, Mademoiselle Rose, te répond Madame Leblanc. Mais je vous en prendrai peut-être une un peu plus tard. Exceptionnellement.

Messieurs Moutarde et Violet acceptent tous les deux volontiers.

— Tiens, je pensais que les détectives fumaient la pipe ! ironise Monsieur Violet.

Monsieur Olive, lui, hésite puis refuse, prétextant qu'il ne fume que des sans-filtre.

Quant à Madame Pervenche, elle ne se fait pas prier.

— Avec toutes ces émotions, soupire-t-elle.

Tu es déçue. Tu pensais que cette histoire de cigarette allait t'aider à éliminer quelques suspects sérieux. La pêche est maigre : seule Madame Leblanc peut être définitivement écartée de la liste – ce qui ne constitue pas réellement une surprise.

Tout en essayant de réfléchir à la suite des événements, tu remarques un changement de comportement chez Monsieur Olive. Il te paraît de plus en plus nerveux. Il tourne en rond, les mains dans les poches, l'air à la fois absent et très préoccupé.

Si tu penses que proposer à Monsieur Olive d'aller vous promener dans le jardin peut faire progresser ton enquête, va au 83.

Si tu préfères rester concentrée sur tout le groupe, va au 51.

Tu te retrouves parmi les autres convives dans la salle à manger.

Personne ne paraît perturbé par la présence d'un cadavre dans la pièce ! Peut-être que personne n'ose soulever le problème ?

Tu chasses cette idée de ton esprit et te focalises sur ton objectif.

Pour cela, tu observes attentivement tes trois suspects. De près, cette fois ! Tu essaies d'interpréter chaque parole prononcée et d'analyser le moindre geste. Tu le fais avec tellement d'insistance que tu finis par être repérée.

— Qu'est-ce que vous avez à nous regarder comme ça ? s'énerve soudain Monsieur Moutarde. C'est insupportable !

Tout le monde se tourne vers toi.

— C'est vrai que c'est irritant ! ajoute Monsieur Olive.

— Et surtout très mal élevé ! siffle Madame Leblanc.

Infiniment confuse, tu baisses la tête pour échapper aux regards hostiles que t'adressent les amis du docteur Lenoir.

Dès lors, tu fais l'objet de suspicion pour tout le groupe. Plus personne ne veut te parler et ton enquête s'arrête là. Tu as perdu par manque de discrétion.

N'oublie pas que la volonté ne suffit jamais, elle doit s'accompagner de précautions et de finesse. Et si tu recommençais ?

Tu es convaincue que quelques paroles d'introduction pleines de bons sentiments ne pourront que mettre les suspects en condition pour se confier.

— Ce que nous vivons ce soir est terrible, commences-tu. Le docteur était cher à nos cœurs. Son amitié va nous manquer... Nous le regretterons tous.

Tes talents de comédienne te sont utiles. Tu joues juste : tu fais vibrer la corde sensible sans tomber dans l'excès.

— Pourtant, poursuis-tu, l'un de nous a tué notre ami commun. Je ne m'explique pas ce geste. Seul le coupable pourrait le faire. D'ailleurs, il peut encore le faire. Nous sommes prêts à l'écouter. Si nous pouvons l'aider à soulager sa conscience...

Tu promènes ton regard d'un visage à l'autre. Aucun ne baisse les yeux. Tu reprends :

— Celui ou celle d'entre nous qui a commis ce crime doit se sentir horriblement mal. Il ou elle éprouve certainement le besoin de s'exprimer...

Chaque phrase que tu prononces est ponctuée par un silence lourd. Tu changes ton fusil d'épaule et arrêtes de t'adresser au meurtrier pour te focaliser sur le groupe dans son entité.

— Et si chacun racontait aux autres la relation qu'il entretenait avec le docteur, proposes-tu. Peut-être apprendrons-nous des choses susceptibles de nous aider à comprendre ce qui s'est passé... ?

Les volontaires ne se bousculent pas. Une longue minute s'écoule, puis Monsieur Moutarde finit par ouvrir la bouche.

— Écoutez, Mademoiselle Rose, je crois que vous embarrassez tout le monde avec vos questions.

— Je partage cet avis, renchérit Madame Pervenche. Nous n'avons besoin que d'une chose : de calme afin de repenser aux bons moments passés avec le docteur.

Une fois de plus, Monsieur Violet se montre agressif à ton égard :

— C'est vrai, vous vous prenez pour qui ? Vous êtes psychothérapeute maintenant ? On n'est pas ici pour suivre une thérapie de groupe !

Tu encaisses les coups et cherches à rebondir.

 Va au 57.

12

— Q ue faites-vous là ? vous demande-t-il.

— On prend l'air ! réponds-tu d'un ton léger.

Il hésite un instant, l'air contrarié. Sa décontraction l'a abandonné.

—Ah !

Sans ajouter un mot, il retourne à l'intérieur de la maison.

— Vous pensez qu'il voulait s'enfuir ? demandes-tu aussitôt à Monsieur Moutarde.

— Ça m'en a tout l'air !

— C'est pour l'empêcher de s'en aller que vous avez préféré me retrouver ici plutôt que dans le jardin ?

— On peut dire ça comme ça.

— Bravo, Monsieur Moutarde ! Vous pensez à tout ! Que fait-on, à présent ?

Il regarde sa montre.

—Attendons Antoine ici ! Il va arriver d'une minute à l'autre. Et il n'est pas nécessaire que Monsieur Olive sache qu'il n'a plus que quelques minutes pour fuir avant que la police soit là.

Vous avancez en direction des grilles et le majordome se présente au volant de sa voiture avant même que vous ne les ayez atteintes. Le temps de lui résumer ce qui s'est passé ce soir dans la maison de son employeur et le voilà reparti.

Lorsque l'inspecteur Lapipe arrive, vous n'avez plus qu'à lui exprimer vos soupçons et votre rôle s'arrête là.

Avec l'aide précieuse de Monsieur Moutarde, tu as réussi à démasquer le meurtrier. Certes, tu n'as pas découvert l'arme du crime et son mobile, mais le principal n'est-il pas d'avoir permis à la police d'arrêter le coupable sans prendre d'inutiles risques ?

Félicitations !

Bravo ! Tu as joué un rôle important dans la réussite de l'enquête, mais il existe sûrement un moyen de la résoudre de bout en bout ! Et si tu recommençais ?

13

C'est sans conteste le scoop de la soirée. Si Madame Leblanc était si proche du docteur, elle doit tout savoir de sa vie !

L'air de rien, tu t'immisces dans la conversation des deux femmes. À un moment ou à un autre, il en sortira bien quelque chose qui te mettra sur la voie.

Peu à peu, tu orientes la discussion vers les sujets qui te préoccupent.

— Le docteur avait-il des soucis ces temps-ci ? demandes-tu.

— Pas que je sache. Mais quand quelque chose n'allait pas, il n'était pas du genre à se plaindre. Il était toujours gai et optimiste !

— Et comment allaient ses affaires ?

— Je crois qu'elles étaient très florissantes.

— Quelles étaient ses principales activités ces derniers temps ?

— Il s'était mis en tête d'écrire un roman. Il en parlait depuis des années et a finalement trouvé le temps de s'y mettre il y a déjà quelques mois. Suivez-moi dans son bureau, je vais vous montrer son manuscrit en chantier, puisque ça semble vous intéresser !

Tout se déroule pour le mieux. Madame

Leblanc s'ouvre à toi en toute franchise, elle te fait entièrement confiance.

Vous vous levez toutes les deux et tu demandes à Madame Pervenche de vous accompagner, car il ne serait pas prudent de laisser un suspect seul, sans surveillance. Si elle est la coupable, elle pourrait en profiter pour fuir.

Hélas, elle décline ton invitation :

— Non, je vais rester ici me reposer un instant. Toutes ces émotions m'ont fatiguée.

Heureusement, les hommes reviennent à ce moment précis dans le salon. Vous pouvez donc vous éclipser avec Madame Leblanc, l'esprit tranquille.

En vous croisant tous les cinq, tu notes un échange de regards soutenus entre Madame Leblanc et Monsieur Olive. Mais Monsieur Violet détourne ton attention en ne manquant pas d'ironiser une fois de plus sur ton rôle :

— On dirait qu'Herculette Poirot tient une vraie suspecte !

 Ne l'écoute pas et suis Madame Leblanc au 29.

14

La mayonnaise a pris : les cinq convives du docteur sont réunis et une conversation les occupe. C'est parfait. Tu peux réfléchir sereinement au but que tu t'es fixé.

Pour cela, tu juges opportun de t'éclipser. Pourquoi ne pas aller fouiner un peu dans la maison ?

— Je vais chercher de l'eau, annonces-tu.

Personne ne réagit.

Tu quittes la salle à manger et tes pas te guident naturellement au salon. C'est là que tu as vu le docteur vivant pour la dernière fois.

En entrant dans la pièce, tu visualises la scène. Tu étais assise ici, dans ce canapé, entre Madame Pervenche et Monsieur Violet. Les autres étaient installés sur des fauteuils. Tu t'assieds à la place que tu occupais tout à l'heure et tu essaies de te souvenir du moment où le docteur vous a laissés en compagnie de Charlie Parker. L'un de vous s'est forcément levé et a quitté le salon pour y revenir avant la fin du morceau.

Tu es absolument certaine que si tes voisins de canapé avaient bougé, tu l'aurais senti : vous vous touchiez presque ! Du coup, tu les écartes de ta liste des suspects. Il ne t'en reste donc plus que trois : Madame Leblanc, Monsieur Olive et Monsieur Moutarde.

 Si tu penses qu'essayer de copiner avec chacun d'entre eux est la meilleure solution pour faire avancer ton enquête, va au 36.

Si tu préfères les espionner, va au 82.

15

L'enfoncer d'un coup d'épaule n'est pas une solution envisageable. Tu n'en as ni la force ni l'envie. Et puis tu aurais l'air de quoi dans ta robe de soirée à jouer les béliers ? Quant à crocheter la serrure, ça ne fait malheureusement pas partie de tes aptitudes.

Après tout, la manière la plus simple de savoir ce qui se passe à l'intérieur d'une pièce est encore de frapper à sa porte, n'est-ce pas ? C'est donc ce que tu fais.

Pas de réponse.

Tu recommences, un peu plus fermement.

Pas plus de succès.

Alors tu te précipites au salon et ton regard balaie la pièce.

— Que se passe-t-il ? demande Monsieur Moutarde.

Mesdames Pervenche et Leblanc sont là. Messieurs Moutarde et Violet également. Tu en déduis le nom du coupable...

Tu leur fais part de tes observations depuis le jardin et de tes déductions :

— La personne qui se trouve dans la salle à manger est forcément celle qui a tué le docteur Lenoir. Monsieur Olive est donc le coupable, conclus-tu.

Tes interlocuteurs semblent assommés par la nouvelle, surtout Madame Leblanc, au bord de l'évanouissement. Ton raisonnement est d'une logique implacable et aucun ne le conteste. Même Monsieur Violet, cette fois, ne trouve pas à railler.

Mais il faut agir. Et vite !

 Si tu décides, en accord avec les autres convives, de bloquer toutes les issues de la villa et d'attendre la police, va au 81.

Si vous préférez enfoncer la porte de la salle à manger, va au 64.

16

Tu actionnes la poignée et vous entrez tous les deux dans le salon. Ouf ! Monsieur Olive ne se doute de rien.

— Mes amis, lances-tu, j'ai une question à poser publiquement à Monsieur Olive. Sa réponse devrait tous nous concerner.

L'intéressé paraît soudain totalement déstabilisé. On dirait que tu as déjà gagné la partie.

— Monsieur Olive, pourriez-vous nous expliquer pourquoi vous êtes le seul à avoir encore votre téléphone portable avec vous ?

Un silence de mort s'abat sur le salon. Tous les regards convergent vers Monsieur Olive. Tu as vu juste et il est pris au piège. Il a reçu un appel ou un SMS au mauvais moment et ça t'a profité.

Il n'essaie pas de nier car il sait que vous pourriez le fouiller. Son silence l'accuse : si l'assassin ne lui a pas confisqué son téléphone, c'est parce qu'il est lui-même cet assassin !

Puis, brusquement, Monsieur Olive sort un revolver de sa poche et le brandit en vous menaçant.

— Si l'un de vous essaie de m'empêcher de fuir, je l'abats sans hésitation.

Vous êtes tous tétanisés.

Monsieur Olive recule jusqu'à la porte sans que personne bouge et il disparaît.

Fallait-il risquer sa vie pour tenter de contrarier ses plans ? Sans doute que non car il semblait déterminé à user de son arme.

— D'où sort-il, ce revolver ? demande alors Monsieur Violet comme s'il se réveillait d'un cauchemar.

— Il appartenait au docteur Lenoir, répond Madame Leblanc. Sans doute a-t-il mis la main dessus au cours de la soirée...

Le coupable est démasqué, mais tu as tout de même perdu.

Tu as failli réussir ton enquête et tu sembles suffisamment douée pour y arriver. Recommence !

17

Même dans ton métier de comédienne tu préfères le tête-à-tête aux scènes de groupe. Tu n'es jamais autant à l'aise que dans les petits comités et c'est dans l'intimité du face-à-face que tu as toujours donné le meilleur de toi-même.

Mais tu ne veux pas brusquer les choses et préfères laisser le groupe se démanteler tout seul avant d'agir.

La chance te sourit lorsque Monsieur Moutarde décrète :

— J'aurais bien besoin d'un petit remontant, moi.

— Moi aussi, avoue Monsieur Violet. Je me souviens que le docteur a toujours une bouteille de vieil armagnac dans le bar de son bureau.

— Je vous suis ! ajoute Monsieur Olive.

Les trois hommes quittent le salon, vous laissant toutes les trois.

Réfléchis bien à cette nouvelle situation.

Si tu veux profiter de cette scission pour aller fureter du côté de la salle à manger dans l'espoir d'y trouver un indice, va au 77.

Si tu décides de suivre les hommes, va au 21.

Si tu préfères te concentrer dans un premier temps sur le cas de Mesdames Leblanc et Pervenche, va au 61.

18

Sur tes gardes, tu suis Madame Leblanc jusqu'à la salle de bains. Vous entrez toutes les deux et elle referme la porte.

Elle se regarde dans le miroir, replace machinalement une mèche sur son front. Tu la surveilles du coin de l'œil.

Sans prévenir, elle fait volte-face.

— Vous n'êtes pas sans savoir que je suis avocate, lance-t-elle.

— En effet !

— Je vois passer des affaires criminelles tous les jours dans mon cabinet.

— J'imagine…

— Il n'y a pas que les policiers qui enquêtent, savez-vous ? Nous autres, avocats, ne pouvons pas toujours nous fier à la parole de nos clients. Nous sommes aussi amenés à devoir rechercher la vérité par nous-mêmes.

— Où voulez-vous en venir ?

— C'est très simple : j'ai une certaine expérience et j'ai le sentiment que je me dois de la mettre en pratique. D'autant plus que le docteur Lenoir était un ami très proche. Vous l'ignorez sans doute mais nous nous connaissons depuis l'enfance. Nous partions en vacances ensemble...

Tu as envie de crier « Eurêka ! » mais tu te retiens.

 Va vite au 34.

19

Tu ne dis rien. Tu laisses Monsieur Olive reprendre l'initiative du dialogue. Au fond de toi-même, tu es convaincue qu'il est en train de craquer.

Comme tu t'y attendais, il éprouve bientôt le besoin de se confier.

— Je suis arrivé le premier ce soir, raconte-t-il sans relever la tête. Le docteur et moi avons discuté en attendant les autres. Il m'a demandé de ne plus chercher à voir Madame Leblanc. Il m'a dit que je n'avais aucune chance. Il l'a dit avec un petit sourire en coin, comme si c'était lui qui décidait pour elle, comme si elle lui appartenait !

— Vous ne l'avez pas supporté et vous vous êtes vengé. Le jeu proposé par le docteur tombait à pic !

Il hoche la tête.

— Avec quoi l'avez-vous tué ?

— Je l'ai étranglé avec une corde que j'ai repérée dans le garage. Elle se trouve à présent dans un vase de la salle à manger, avec les téléphones portables...

— Et vous êtes revenu dans le salon...

— ... parce que le morceau de Charlie Parker touchait à sa fin. Je le connais par cœur.

Soudain, tu entends la porte d'entrée claquer.

— C'est sûrement Antoine, le majordome, devines-tu.

Le calvaire est terminé : tu as gagné.

Bravo ! Tu as tout découvert : l'assassin, le mobile, l'arme. Tu as fait preuve de courage et de psychologie : tu pourras interpréter sans mal un détective dans ton prochain grand rôle ! Mais sais-tu qu'il y a d'autres moyens de résoudre cette enquête ?

20

Tu es bien trop heureuse de le tenir enfin pour courir le risque de le laisser disparaître. Tu prends une profonde respiration, puis ouvres brusquement la porte.

Tu vois un billard, des machines à sous, un flipper, une table de bridge, une autre de blackjack... mais pas de Monsieur Olive. La pièce est silencieuse. Tu n'as pourtant pas rêvé : tu es certaine d'avoir entendu sa voix...

Il y a une porte au fond ; tu ne sais pas où elle mène mais tu te dis qu'il a dû partir par là.

Tu t'élances pour aller l'ouvrir, mais à peine as-tu fait deux pas que tu reçois un violent coup sur la tête. Tu t'évanouis.

Quand tu reprends connaissance, quelques minutes plus tard, la police est enfin arrivée. Tu apprends alors que Monsieur Olive a fui après t'avoir assommée et qu'il a tiré sur Monsieur Moutarde qui se trouvait près des grilles à ce moment-là.

Tu réalises que tu as perdu mais aussi que tu es passée bien près de la mort.

FIN

Monsieur Olive t'a peut-être tendu un piège
en t'attirant dans la salle de jeux.
Ou alors tu n'as pas fait preuve de discrétion
en l'épiant derrière la porte.
Dans les deux cas, tu as manqué de prudence.
Recommence en gardant à l'esprit
qu'il faut redoubler de vigilance en présence
d'un assassin, surtout s'il se sent menacé.

21

Ton instinct te guide vers les hommes. Tu les imagines mieux dans le rôle de l'assassin. Et puis cette histoire d'aller boire un verre dans le bureau pourrait être une ruse de leur part... Tu n'y as pas pensé plus tôt, mais peut-être sont-ils complices ? Et s'il n'y avait pas un meurtrier mais plusieurs... ?

Tu laisses Mesdames Pervenche et Leblanc et quittes le salon sans un mot.

En approchant du bureau, tu entends des voix. La porte est restée entrouverte et les hommes bavardent.

Tu patientes un instant dans le couloir en tentant de capter leur conversation. Il semblerait qu'ils échangent simplement leurs points de vue sur l'armagnac du docteur. Tu te décides donc à entrer.

Tous les trois se retournent et t'observent approcher d'eux.

— Vous désirez un verre ? te demande poliment Monsieur Moutarde.

Tu es un peu prise au dépourvu. Tu bois rarement de l'alcool, et jamais ces boissons fortes. Mais tu es bien obligée d'accepter car tu n'as pas réfléchi à un autre prétexte pour aller les rejoindre.

— Volontiers, réponds-tu. Je suis un peu secouée, moi aussi.

— Tenez ! Ça vous fera du bien, dit Monsieur Moutarde en te tendant un verre.

Ils te fixent tous les trois en attendant que tu avales ton armagnac. Tu ne peux pas faire semblant, tu te décrédibiliserais toute seule. Aussi avales-tu une grande gorgée pour faire bonne figure.

La réaction est violente et ne se fait pas attendre.

 Pour la connaître, rends-toi au 43.

22

Telle qu'elle est partie, la conversation risque de tourner en rond. Penser qu'il en sortira quelque chose de concret te paraît de plus en plus aléatoire. Une chose est sûre : ce n'est pas de cette manière que le meurtrier se dénoncera.

Tu repenses alors à ces jeux de rôles auxquels tu participais quand tu étais plus jeune. Tu aimais beaucoup ça et tu te dis que ce serait peut-être un bon prétexte pour étudier le comportement de chacun. Tu te lances :

— J'ai une idée : et si on continuait le jeu que nous a présenté le docteur tout à l'heure ? Ce serait une belle façon d'honorer sa mémoire, qu'en dites-vous ?

On dirait que ta proposition ne fait pas l'unanimité. Bien au contraire.

— Croyez-vous sincèrement que nous ayons le cœur à jouer ? te rétorque Madame Leblanc.

— Votre idée est indécente, Mademoiselle Rose, ajoute Madame Pervenche.

— Mais pas du tout ! argumentes-tu. Je trouve que c'est une manière élégante de rendre hommage au docteur. Vous pensez qu'il serait heureux de nous voir aussi abattus et désemparés ? Je suis persuadée du contraire : rien ne pourrait lui faire plus plaisir que de savoir que son jeu nous distrait.

Monsieur Violet te lance un regard dubitatif.

— Quoi qu'il en soit, il est difficile de jouer à un jeu dont on ne connaît pas les règles.

—Justement, rebondis-tu, essayons de les deviner ! Il nous a exposé la situation de départ, pourquoi ne pas tenter d'imaginer la suite ?

— Pourquoi insistez-vous autant ? te demande Monsieur Moutarde.

Tu hésites.

Si tu te braques et ne baisses pas les bras, au risque de sortir tes griffes, va au 68.

Si tu préfères jouer la comédie, va au 89.

23

Tu retournes au salon en brandissant le mégot dans sa serviette en papier.

— Voici la preuve de la culpabilité de Monsieur Olive ! annonces-tu.

Tout le monde se tourne vers toi, bouche bée. Seul Monsieur Olive arbore un léger sourire.

— Décidément, vous n'abandonnez pas la partie facilement ! te lance Monsieur Violet. J'ai connu des policiers moins déterminés que vous !

— C'est grave d'accuser les gens comme ça, ajoute Monsieur Moutarde. Vous ne pouvez pas le faire sans exposer votre raisonnement.

— J'y venais, réponds-tu.

Tu expliques alors les différents épisodes qui t'ont amenée à cette conclusion. Cinq paires d'oreilles t'écoutent attentivement jusqu'au bout de ta démonstration.

— Tissu d'idioties ! réplique aussitôt Monsieur Olive en ricanant. Hallucinations ! Contre-vérités ! Accusations sans fondement ! Vous n'êtes qu'une actrice en mal de reconnaissance et vous vous êtes attribué ce soir un rôle qui ne vous va pas du tout. Il y a des contre-emplois qui font mouche, celui-ci fait pitié !

Monsieur Violet éclate de rire.

— Pour une tirade, c'est une sacrée tirade ! ajoute-t-il. Ça devrait renvoyer cette chère Mademoiselle Rose à ses cours d'art dramatique !

Monsieur Olive s'approche de toi et s'empare du mégot qu'il jette en l'air, à travers la pièce.

— Voilà ce que je fais de votre soi-disant preuve !

Il te lance un regard méprisant et ajoute :

— Vous n'avez même pas eu la décence de respecter les convenances. Je vous rappelle que vous êtes dans la maison d'un mort !

Prenant un air indigné, il se dirige vers la porte, puis se retourne avant de sortir :

— Cette accusation gratuite ne restera pas sans suite, Mademoiselle Rose. Vous aurez de mes nouvelles par le biais de mon avocat. En attendant, je ne resterai pas une seconde de plus dans cette maison.

Il claque la porte, te laissant perplexe et sous les feux croisés des regards assassins des autres convives.

Tu es persuadée d'avoir identifié le meurtrier, mais tu n'as pas réussi à le prouver. De plus, tu lui as permis de s'en aller tranquillement, sous les yeux consentants des autres amis du docteur. Perdu !

Quel dommage ! Sans cette confrontation ratée, qui sait, peut-être aurais-tu réussi ? Pourquoi ne pas réessayer en faisant de meilleurs choix ?

Aller se jeter dans la gueule d'un possible loup ? Pas question.

Tu optes pour la prudence, la neutralité et la discrétion.

L'atmosphère se détend un peu dans le salon, on dirait que les convives ne cherchent plus à se surveiller les uns les autres. Antoine ne devrait plus tarder maintenant.

Tout à coup, Monsieur Olive prétend devoir aller aux toilettes et s'éclipse.

Dans les secondes qui suivent, Monsieur Moutarde en fait autant.

« Étrange ! » te dis-tu.

Tu te lèves à ton tour et sors du salon.

Tu aperçois furtivement la silhouette de Monsieur Moutarde qui se dirige vers l'entrée de la villa.

Si tu choisis de suivre Monsieur Moutarde, va au 67.

Si tu décides plutôt de partir à la recherche de Monsieur Olive, va au 56.

En attendant l'arrivée d'Antoine, vous décidez de laisser le corps du docteur là où vous l'avez découvert : dans la salle à manger. Vous n'y touchez plus et refermez délicatement la porte.

Puis vous retournez tous les six au salon et tu te lances dans une longue réflexion. Tu étudies les différentes méthodes d'investigation qui s'offrent à toi. Quelle est la plus adaptée à la situation ? Interroger les cinq suspects séparément ? Affronter le groupe tout entier ? Rechercher un partenaire pour t'aider à enquêter ?...

Tu observes les convives du docteur. Bien malin celui qui, au vu de leur seul comportement, pourrait démasquer l'assassin parmi ces deux femmes et ces trois hommes ! Une chose est certaine : le coupable cache bien son jeu. Il ou elle fait preuve d'un sang-froid peu commun et ne donne aucune prise à la panique.

Allez ! Il est temps de te lancer !

— Au nom de notre amitié pour le docteur Lenoir, déclares-tu, nous nous devons de démasquer le traître parmi nous.

Si tu décides de jouer cartes sur table face au groupe dans son ensemble, va au 49.

Si tu ressens le besoin d'être épaulée dans ton enquête et recherches un partenaire, va au 66.

Si tu estimes que tu t'en tireras mieux seule en interrogeant les suspects séparément, va au 17.

26

Monsieur Moutarde t'appa-
raît comme le suspect le
plus facile à manipuler. C'est sur lui que tu
veux laisser ton charme agir.

T'isoler dans le bureau avec lui est un jeu
d'enfant.

Jouer les jeunes femmes en mal d'amour et
toute retournée par les événements de la soirée ne te donne aucun mal.

L'amener tranquillement à imaginer que
tu éprouves pour lui des sentiments autres
qu'amicaux ne pose pas plus de problèmes.

Enfin, lui faire croire en la possibilité d'une
histoire d'amour entre vous se révèle encore
plus facile que tu l'imaginais.

— J'ai besoin d'un homme fort comme vous,
d'un compagnon de tous les jours, lui mens-tu.
D'un confident qui ne me cache rien ! D'un
complice pour affronter les drames de la vie !

— Je serai tout cela à la fois et même plus. Je
le suis déjà, te promet-il.

Il ne t'a pas fallu plus d'un quart d'heure
pour le transformer en amoureux transi ! Ce
que tu n'avais pas prévu, c'est à quel point Monsieur Moutarde prendrait son rôle au sérieux.
À partir de cet instant, il ne te lâche plus d'un

pouce. Même en présence des autres convives, il boit chaque phrase que tu prononces comme s'il s'agissait d'une parole sacrée, les yeux humides d'émotion. Tu ne peux plus faire un geste sans qu'il en souligne la grâce, tu ne peux plus faire un pas sans qu'il l'emboîte. Il est devenu comme un papier gras collé à ta semelle !

La situation tourne vite au cauchemar. Il est maintenant impossible de prendre la moindre initiative sans qu'il en soit témoin. Ta mission s'avère irréalisable. Tu enrages d'être ainsi forcée d'y renoncer.

Tu as perdu.

Tu as voulu jouer de ton charme, et cela s'est retourné contre toi. Si ton rôle de séductrice a été une réussite, celui de détective que tu t'étais alloué a tourné au fiasco ! Recommence l'enquête, sans te laisser dépasser par le cours des événements !

27

Tu vas te promener dans le jardin.

L'air frais du soir te fait du bien. Tes talons aiguilles s'enfoncent mollement dans l'herbe tendre. Voilà un moment déjà que tu essaies de savoir qui est l'auteur du meurtre du docteur Lenoir et tu dois bien admettre que tu n'as pas beaucoup avancé. Tu as simplement appris que Madame Leblanc et lui étaient amis depuis l'enfance et qu'il avait commencé l'écriture d'un roman... La belle affaire !

Tu réfléchis à la suite des choses.

Tu observes la villa lorsque ton regard est happé par la fenêtre de la salle à manger. Elle est plongée dans l'obscurité mais tu remarques une silhouette qui se déplace.

« Qui ose pénétrer dans la pièce où repose le corps du docteur ? » te demandes-tu avec indignation.

Tu te caches derrière un bosquet pour ne pas être vue. On dirait que le mystérieux visiteur fait les cent pas dans la salle à manger.

Tu es certaine d'une chose : la personne qui a pénétré dans la salle à manger ne peut être que le meurtrier. Il est venu effacer des traces de son crime, il n'y a pas d'autres explications.

Un élément renforce ton intuition : l'intrus n'a pas allumé la lumière. Pourquoi évoluer dans l'obscurité si on n'a rien à se reprocher ?

Si tu veux savoir immédiatement qui est dans cette pièce, précipite-toi au 39.

Si tu préfères observer encore un peu avant de rentrer dans la villa, va au 73.

28

La prudence vous guide et rien ne doit remettre en cause votre pacte : vous resterez ensemble jusqu'à l'arrivée de la police. Tel en a décidé votre vote.

Monsieur Olive n'apprécie pas.

— Je ne m'explique pas votre réaction, insiste-t-il. À quoi bon attendre encore puisque nous sommes tous d'accord sur la culpabilité de Monsieur Moutarde ?

— Nous ne sommes plus à un quart d'heure près, répond Monsieur Violet.

— Non, la vraie raison de votre vote, c'est que vous ne me faites pas confiance.

— Pas du tout ! intervient Madame Leblanc.

— Alors, laissez-moi y aller ! Nous avons tous à y gagner !

Tu trouves que la discussion prend une drôle de tournure : Monsieur Olive semble avoir vraiment envie de quitter cette maison. Et, curieusement, Monsieur Moutarde est de plus en plus attentif à son comportement.

— Pourquoi insistez-vous tant à vouloir nous fausser compagnie ? demandes-tu à Monsieur Olive.

Il se tourne vers toi et te lance un regard assassin.

— Vous, on ne vous a rien demandé !

— Inutile d'être agressif ! répliques-tu.

Tu observes Monsieur Moutarde qui t'adresse un clin d'œil discret. Tu sens alors que tu approches de la vérité.

— J'ai l'impression que les accusations que nous avons portées contre Monsieur Moutarde font parfaitement vos affaires, Monsieur Olive. Et je ne vois qu'une raison valable à cela : vous êtes vous-même le coupable !

— Vous êtes complètement folle ! rugit l'intéressé.

— Mademoiselle Rose a raison ! intervient alors Monsieur Moutarde. Je soupçonnais Monsieur Olive d'être le meurtrier depuis le début de la soirée car je l'ai senti quitter le salon pendant le jeu du docteur : nous étions voisins. J'ai eu la confirmation que c'était bien lui lorsqu'il m'a accusé de m'être disputé avec le docteur Lenoir en arrivant ici, alors que c'est exactement l'inverse qui s'est produit. Pourquoi avoir menti si ce n'est pour se couvrir ?

Se sentant pris au piège, Monsieur Olive se précipite vers la porte mais Monsieur Violet, qui se trouve sur son chemin, lui fait un croche-patte. Le suspect se retrouve allongé sur le parquet. Monsieur Violet l'immobilise en s'agenouillant sur ses reins.

— Monsieur Olive ! s'exclame Madame Leblanc. Dites-moi que ce n'est pas vous !

Mais Monsieur Olive, le nez contre les lattes, ne répond pas.

— Monsieur Moutarde, donnez-moi un coup de main ! lance Monsieur Violet. Nous allons le ligoter pour lui ôter toute envie de fuir !

Madame Pervenche s'approche de toi.

— Bravo pour vos déductions ! te lance-t-elle. Vous avez fait preuve de beaucoup de bon sens.

Lorsque Monsieur Olive est mis hors d'état de nuire, tu demandes à Monsieur Moutarde la raison pour laquelle il n'a pas usé de ses forces pour le maîtriser plus tôt.

— Je n'étais pas certain qu'il s'agisse du coupable jusqu'à tout à l'heure.

— Et pourquoi avoir gardé le silence si longtemps ?

— Je craignais ses réactions. Il me semblait plus prudent d'attendre un faux pas de sa part. Ce qu'il a fini par commettre...

En effet.

Félicitations ! Vous avez réussi à démasquer et à neutraliser le meurtrier. Même si ce n'est pas celui que tu entrevoyais quelques minutes plus tôt...

Tu as permis d'élucider le crime,
mais il était moins une !
Es-tu sûre qu'il n'y avait pas de moyens moins
hasardeux de résoudre l'enquête ?

29

Sur le bureau du docteur se trouve une pile de feuilles imprimées. La première porte seulement un titre en grands caractères : « Sur la corde raide ». Juste en dessous est écrit, en plus petit : « Docteur Lenoir », suivi de : « Roman ».

— De quoi ça parle ? demandes-tu.

— C'est l'histoire de deux amis grimpeurs qui partent à l'assaut du mont Blanc. Ils se rendent compte, au fur et à mesure de leur progression, qu'ils sont amoureux de la même femme. Leur complicité va donc se transformer en rivalité et en affrontement. Quand l'un d'eux fait une chute, l'autre tient sa vie entre ses mains...

— C'est terrible ! Et alors ? Que fait-il ?... Il le sauve ou le laisse tomber dans le vide ?

Madame Leblanc essuie une larme.

— On ne le saura jamais. Le docteur n'a pas eu le temps de finir de l'écrire...

Cette histoire te fait froid dans le dos mais tu n'es pas convaincue que la clé de ton énigme se trouve dans ce manuscrit.

Si tu penses que Madame Leblanc ne t'a pas tout dit et qu'il te faut continuer à l'interroger, va au 47.

Si tu crois que d'autres documents dans ce bureau sont susceptibles de t'aider et qu'il serait judicieux de le fouiller, va au 5.

Tu ne quittes pas ton poste d'observation dans le couloir. Les trois suspects évoluent dans la salle à manger, ignorant toujours ta présence.

Tu ne notes aucun changement dans leur comportement.

Puis, tout à coup, Madame Leblanc sort de son mutisme et annonce à la cantonade qu'elle doit vérifier quelque chose dans sa veste laissée dans le hall d'entrée.

Comme elle se dirige d'un pas vif vers la porte, tu cours te cacher par réflexe dans la pièce voisine, une chambre d'amis. Toutefois tu laisses la porte entrouverte pour ne pas la perdre de vue.

Tu as bien fait : Madame Leblanc sort de la salle à manger et prend la direction opposée à celle du hall.

Si tu décides de la prendre en filature, va au 48.

Si tu souhaites l'interpeller, va au 86.

Messieurs Moutarde et Olive bavardent dans un coin tandis que Madame Pervenche est plongée dans un magazine de mode. Monsieur Violet, quant à lui, inspecte les rayonnages de la bibliothèque.

Tu as à peine refermé la porte derrière toi que tu lances à la cantonade :

— Madame Leblanc a quelque chose à vous annoncer, elle vous attend dans le bureau du docteur.

Ils se retournent tous vers toi d'un seul coup, puis se regardent les uns les autres sans comprendre.

— Sauf Monsieur Olive, précises-tu.

Ce dernier paraît très surpris d'être mis sur la touche mais ne dit rien. Madame Pervenche ainsi que Messieurs Moutarde et Violet finissent par sortir de la pièce.

— De plus en plus énigmatique, notre enquêtrice, siffle Monsieur Violet avant de refermer la porte.

Tu restes face à Monsieur Olive qui te dévisage, peu sûr de lui.

— C'était une ruse, lui avoues-tu. En fait, c'est moi qui voulais vous parler en tête à tête.

Il attend la suite sans ouvrir la bouche. Tu es certaine qu'il a déjà compris ce qui se trame. Aussi, lui exposes-tu très calmement et sans détour tes déductions.

— Vous êtes devenue folle ? Pourquoi aurais-je tué le docteur ? s'exclame-t-il une fois ton brillant exposé terminé.

— Parce que vous en étiez jaloux ! Vous ne supportiez pas sa relation avec Madame Leblanc, qui interférait avec la vôtre.

— Quelle relation avec Madame Leblanc ?

— Écoutez, Monsieur Olive, cessons de jouer aux devinettes. Je suis au courant de tout. Je sais également que vous êtes un impulsif et que vous avez dû agir sur un coup de tête, sans préméditation, ce qui jouera en votre faveur lors de votre procès. Je ne doute pas que vous prendrez Madame Leblanc comme avocate : elle vous défendra très bien.

Monsieur Olive devient rouge de colère.

— Vous êtes tombée sur la tête !

— Pourquoi nier, Monsieur Olive ? Tout vous accuse !

— Vous n'avez pas la moindre preuve de ce que vous dites ! Je ne sais ce qui me retient de...

Ça lui a échappé. En même temps qu'il se tait, Monsieur Olive suspend son geste... Le geste que l'on fait quand on s'apprête à frapper quelqu'un.

— Vous retenir de quoi, Monsieur Olive ? De me faire taire ? De m'éliminer comme vous avez éliminé le docteur ?

Ton interlocuteur blêmit soudainement. Il sait qu'il s'est trahi. Ses yeux ne sont plus empreints de rage mais de tristesse. Il se laisse tomber dans un fauteuil et se prend la tête entre les mains.

 Va au 19.

32

Maintenant que tu es certaine de la culpabilité de Monsieur Olive, tu estimes qu'il est trop risqué de te retrouver seule face à lui. Tu préfères alerter les autres et revenir tous ensemble le coincer.

Convaincre les amis du docteur restés dans le salon de venir t'aider à neutraliser Monsieur Olive ne te prend que quelques minutes.

Hélas ! Lorsque vous entrez dans la salle de jeux, il n'y a plus personne. Tu paniques.

— Allons vite au garage ! t'écries-tu. Il doit être en train de s'enfuir.

Tu as vu juste. Mais Monsieur Olive a une longueur d'avance : sa voiture a déjà disparu. Ton cœur bat la chamade : ton coupable t'échappe ! Vous vous précipitez dehors : les grilles au bout de l'allée sont ouvertes. Une forme gît au pied de l'une d'elles. Vous accourez et découvrez le corps de Monsieur Moutarde, le visage couvert de sang.

— Mon Dieu ! s'écrie Madame Pervenche.

— Monsieur Olive s'est senti piégé et il a fui, en déduis-tu. Le pauvre Monsieur Moutarde a dû vouloir l'en empêcher et il l'a abattu.

La stupéfaction vous paralyse un long moment. Jusqu'à ce qu'arrive le majordome...

Ainsi s'achève ton enquête. Tu étais à deux doigts de la réussir. Pourtant, tu as doublement échoué : en traquant le coupable, tu l'as involontairement conduit à commettre un deuxième crime.

La résolution d'une énigme policière
ne doit en aucun cas engendrer de nouvelles
victimes. Veux-tu retenter ta chance
en évitant ça à tout prix ?

Tu n'es pas de celles qui pensent que l'amitié peut exister durablement entre un homme et une femme. Tu es convaincue que l'amour s'invite tôt ou tard dans la relation.

De là à penser que Madame Leblanc était amoureuse du docteur Lenoir, il n'y a qu'un pas, que tu franchis sans la moindre hésitation. Tu tiens ta coupable : elle avait des sentiments pour lui qui n'étaient pas réciproques. Ou peut-être venait-il de s'amouracher d'une autre femme et elle ne l'a pas supporté... Quoi qu'il en soit, il s'agit d'un crime passionnel, c'est certain. Madame Leblanc a tué le docteur par amour.

C'est tellement évident pour toi que tu veux faire part de tes conclusions aux hommes.

Va retrouver les hommes dans le bureau, au 72.

S ans te laisser le temps de réagir, elle reprend son exposé :

— J'ai l'habitude de travailler en équipe et j'ai confiance en vous. Voulez-vous que nous menions l'enquête toutes les deux ?

Comme tu as bien fait de la suivre ! Tu jubiles intérieurement.

— Je suis ravie de votre initiative, réponds-tu. J'accepte votre proposition.

Elle ne sait pas qu'en t'offrant ce marché, le nombre de tes suspects se réduit à deux : Messieurs Olive et Moutarde. Mais tu te gardes bien de lui dévoiler tes premières déductions pour le moment : on n'est jamais trop prudent.

— Parfait ! poursuit-elle, autoritaire. Voici comment nous allons procéder : la première chose à faire est de nous séparer, pour ne pas risquer d'éveiller des soupçons. Moi, je vais me mettre à la recherche de l'arme du crime. J'ai travaillé avec des spécialistes, tous disent que lorsqu'on la tient, on tient l'assassin... Pendant ce temps, vous vous focaliserez sur les suspects. Observez-les tous bien attentivement et analysez leur comportement ! Si on a une information à se communiquer, dès qu'on se recroise, on se fait un clin d'œil discret et on se retrouve ici, dans la salle de bains. Compris ?

Tu hoches la tête et vous quittez la pièce. Tu prends la direction de la salle à manger tandis qu'elle se dirige vers le bureau.

 Va au 52.

35

Tu n'es pas comédienne pour rien. Tu es joueuse. Ne dit-on pas jouer la comédie ? Jouer dans un film ?

Tu aimes le principe du quitte ou double. Tout miser sur un seul coup, comme dans une partie de poker. Ça passe ou ça casse !

— Je sais qui est le coupable, déclares-tu sans préambule. J'ai tout compris.

Les cinq autres te regardent du coin de l'œil sans exprimer aucune curiosité. Pas un seul ne semble croire à ton scoop. Et aucun ne paraît déstabilisé.

— Vous voilà voyante à présent ? te demande Monsieur Violet, ironique.

Il commence vraiment à t'agacer, celui-là, avec sa chemise à carreaux grotesque. Il t'a prise en grippe dès le début de la soirée et ne te lâche pas.

— On a bien compris que vous aviez envie de jouer les Hercule Poirot, te dit Monsieur Moutarde. Mais nous venons de perdre un ami cher et n'avons pas le cœur à jouer.

— Respectez au moins la mémoire du docteur ! ajoute Madame Pervenche d'une voix pointue.

Pour un échec, c'est un échec. Personne ne gobe ton coup de bluff. Tu es vexée. Mais quitte à perdre, autant aller jusqu'au bout de ton intention.

— C'est Monsieur Moutarde qui a tué le docteur ! ajoutes-tu.

Cette fois, ils te regardent tous franchement, mais sans plus de compassion. C'est tout l'inverse qui se produit, même.

— Vous êtes complètement folle ! s'exclame le principal intéressé. En d'autres circonstances, j'éclaterais de rire.

— Je vous en prie, Mademoiselle Rose, dit Madame Pervenche, n'ajoutez pas le ridicule au dramatique ! La soirée est assez pénible comme ça.

— Moi, je trouve au contraire que l'animation de Mademoiselle Rose est salutaire. L'ambiance serait insupportable sans ses interventions hilarantes. Vous devriez vous lancer dans le one-woman-show, chère amie, vous feriez un malheur ! se moque à nouveau Monsieur Violet.

Cette fois, tu jettes l'éponge. Tout le monde a compris que tu bluffais. Personne ne te prend au sérieux. Pire : tu es la risée de la soirée.

FIN

Tu ne perds pas avec les honneurs.
Ton enquête a tourné court.
Sans plus aucune crédibilité, tu es contrainte
d'abandonner la partie. Retente ta chance
à partir d'autres choix !

Tu es contente de toi. Ce retour au salon t'a permis d'éliminer deux suspects d'un coup. Ton enquête progresse ! Tu vas maintenant pouvoir te focaliser sur les trois restants : Messieurs Olive et Moutarde et Madame Leblanc.

Jouant de ton charme, tu vas faire en sorte de les mettre dans ta poche pour mieux les piéger ! Pour cela, tu dois procéder individuellement. Mais par qui commencer ?

Si tu choisis Madame Leblanc, va au 58.

Si tu choisis Monsieur Olive, va au 63.

Si tu choisis Monsieur Moutarde, va au 26.

Malheureusement, Monsieur Olive ne vous a pas attendus. La pièce est vide et la fenêtre ouverte sur le jardin.

Les tentatives répétées de Monsieur Violet l'ont mis en fuite.

— Sans votre incapacité à ouvrir cette maudite porte, Monsieur Olive serait encore là ! lui reproches-tu, folle de rage.

L'imbécile se tient toujours l'épaule en grimaçant de douleur. Il fait moins le fier que lorsqu'il se moquait ouvertement de toi et de ton enquête.

Finalement, tu as découvert l'identité de l'assassin mais pas son mobile, ni l'arme du crime. De plus, il vous a filé entre les pattes. Il ne faudra pas s'attendre à des félicitations de la police.

FIN

Tu as bien manœuvré mais ton enquête s'est mal terminée. Tu peux mieux faire, c'est évident. Retente ta chance !

— Très bien, lui dis-tu. Alors jouons cartes sur table ! Je vais vous donner ma version des faits.

Tu lui racontes en détail ton raisonnement et tes déductions. Tu lui expliques comment tu as écarté tes voisins de canapé de la liste des suspects. Puis tu lui exprimes tes doutes sur la culpabilité de Monsieur Moutarde :

— C'est un expert en arts martiaux. Je suis certaine qu'un homme comme lui est capable de tuer sans laisser la moindre trace. Un bon coup sec à un endroit très précis et même un légiste parierait sur une crise cardiaque ! Or le docteur porte des rougeurs dans le cou...

— Très intéressant, commente Monsieur Olive.

— Quant à Madame Leblanc, elle ne me semble pas de taille à remporter un corps à corps avec un homme mesurant plus de vingt centimètres qu'elle. C'est tout à fait improbable ! Et puis elle est avocate, elle sait mieux que quiconque ce qu'elle encourrait en agissant ainsi. Quel que puisse être son mobile, je ne la vois pas prendre de tels risques...

— Vos observations sont fort pertinentes.

— Il ne reste que vous, Monsieur Olive.

Sans cesser de sourire en coin, il t'applaudit.

— Félicitations !

— Arrêtez ce petit jeu !

— Très bien ! Alors que fait-on maintenant ?

Son visage redevient grave.

— Laissez-moi vous exposer ma vision de ce qui va se produire, te devance-t-il.

Tu as beau être convaincue par ta démonstration, tu commences à te sentir en danger. Tu t'es isolée avec un suspect à qui tu viens de dévoiler tes soupçons. Tu n'as plus aucun atout en main...

— Vous vous attendez à ce que nous rentrions bien sagement au salon et que j'avoue mon crime ? Vous êtes trop intelligente pour savoir que ça ne peut pas se passer comme ça ! Je vais vous dire comment je vois les choses. D'abord, je vais sortir de ma poche un revolver muni d'un silencieux et je vais vous abattre froidement. Rassurez-vous, vous n'aurez pas le temps de souffrir.

— Vous bluffez ! Si vous aviez une arme à feu, vous l'auriez utilisée pour tuer le docteur.

— Je n'ai pas dit qu'elle m'appartenait. En réalité, je l'ai récupérée dans un tiroir de la cuisine il y a quelques minutes, pendant que vous prépariez vos boissons. Je me suis dit que ça pourrait toujours servir...

— Admettons ! Et que ferez-vous ensuite ?

— Ensuite, j'irai à la salle à manger récupérer la corde avec laquelle j'ai étranglé le docteur. Je reviendrai la mettre dans vos mains afin que vos empreintes s'y déposent. Puis, je dirai simplement à nos amis et, plus tard, à la police que vous avez essayé de me tuer avec cette corde parce que je vous avais démasquée, et que j'ai usé de cette arme à feu. C'était un cas de légitime défense... Qu'en dites-vous ?

Tu es terrifiée. Tu ne t'attendais pas à ce que la situation se retourne contre toi. Pire : tu penses Monsieur Olive tout à fait capable de mettre en application son plan machiavélique. Pourtant, tu lui dis, comme pour le convaincre :

— Vous ne ferez pas ça !

Mais tu n'y crois pas toi-même.

Il sort alors un revolver de la poche intérieure de son blouson et en plaque l'extrémité contre ton cœur.

— Je suis navré de devoir vous contredire, Mademoiselle Rose. Si seulement vous n'aviez pas cherché à jouer les détectives...

Tu es bien trop tétanisée pour hurler à l'aide. Alors tu espères de toutes tes forces qu'un convive va sortir de la maison et vous surprendra avant qu'il ne soit trop tard.

Mais personne ne vient à ton secours.

Vous vous regardez encore quelques secondes les yeux dans les yeux et la détonation éclate.

Tu t'effondres et n'en sauras jamais plus.

Qu'y a-t-il de plus important pour toi :
la vie ou la vérité ? Il y a des moyens de faire la
lumière sur cette histoire tout en restant en vie.
Trouve-les !

39

Tu veux savoir sur-le-champ de qui il s'agit.

Tu fonces à l'intérieur de la villa pour le surprendre avant qu'il n'ait quitté la pièce.

Tout essoufflée, tu arrives devant la porte.

Tu hésites.

Frapper ? Entrer ? Attendre ? Appeler les autres ?...

Avec beaucoup de précautions, tu tournes la poignée, puis tu pousses légèrement.

La porte est verrouillée de l'intérieur. Ça te contrarie. Que faire ?

 Va au 15.

40

Monsieur Moutarde a tenu parole : il te retrouve devant le garage.

— Merci de me faire confiance, lui lances-tu.

— Ne vous avancez pas trop ! Dites-moi plutôt ce que vous avez à me dire !

Tu lui expliques sans détour pourquoi tu exclus d'office des suspects tes voisins de canapé.

— Il reste donc Madame Leblanc, qui ne me paraît pas de taille à remporter une lutte face au docteur, Monsieur Olive et vous-même. Et je ne vous cache pas que je penche sérieusement vers Monsieur Olive, dont le comportement a été très ambigu toute la soirée : il ne montre aucune tristesse, aucune compassion. Comme s'il était imperméable au côté tragique de la situation.

Monsieur Moutarde hésite un instant.

— Je suis heureux d'entendre vos déclarations, Mademoiselle Rose, finit-il par répondre. Je pense que vous avez raison. Figurez-vous que, pendant le jeu du docteur, j'ai senti la personne assise dans le fauteuil situé à ma droite frôler ma jambe en se levant. C'est Monsieur Olive qui occupait ce siège...

Si Monsieur Moutarde dit la vérité, ton raisonnement était donc le bon.

Mais au moment où tu te fais ce commentaire, la porte du garage s'ouvre brusquement
et Monsieur Olive apparaît, surpris de votre
présence ici.

 Va au 12.

41

Selon toi, l'autre pièce dans laquelle le docteur pouvait conserver des documents susceptibles de t'aider dans ton enquête est le salon.

Tu décides d'y retourner.

Mesdames Pervenche et Leblanc en sortent quand tu y entres : elles vont chercher des boissons fraîches à la cuisine.

Tu te retrouves donc avec Messieurs Olive, Moutarde et Violet.

Sans leur prêter attention, tu te diriges vers le secrétaire situé dans un coin de la pièce et tu l'ouvres. Tu y trouves des jeux de cartes, un échiquier en bois, un board de backgammon et quelques jeux de société.

Mais on dirait que ces messieurs ne voient pas d'un très bon œil ton inspection. Monsieur Moutarde est carrément indigné par ton comportement :

— Enfin, Mademoiselle Rose, un peu de respect ! On ne fouille pas comme ça chez les gens ! Surtout après ce qui s'est produit ce soir !

— Elle se croit investie d'une mission, lui explique Monsieur Violet, toujours aussi sarcastique. Les dieux de la justice lui ont adressé un message. Il n'y a rien à faire contre les voix célestes...

Tu les laisses à leurs commentaires sans intervenir. Tu continues ton examen du meuble en passant aux tiroirs.

— Je ne veux pas cautionner cette violation de l'intimité du docteur, déclare Monsieur Moutarde en se levant.

— Je vous suis, renchérit Monsieur Violet. Allons fumer une cigarette dans le jardin ! Monsieur Olive, vous nous accompagnez ?

— Non, répond ce dernier. Je suis curieux des manœuvres de Mademoiselle Rose. Je vais lui tenir compagnie un instant.

Une fois seuls tous les deux, Monsieur Olive, qui paraît très intrigué, s'adresse à toi.

— Que recherchez-vous, Mademoiselle Rose ?

Tu hésites entre ignorer sa question et tenter un coup de bluff.

Si tu optes pour le mutisme, va au 69.

Si tu préfères bluffer, va au 55.

42

Tu n'as pas choisi de faire carrière dans le cinéma sans raison : tu as du charme et du charisme à revendre et tu sais en jouer. De nombreux journalistes ont salué ton travail en précisant que tu « crevais l'écran ». Sans parler de ton physique, particulièrement avantageux : tu as une taille de mannequin et un visage d'ange. Ton regard fait craquer les hommes et nul ne saurait résister à ton sourire...

Tu vas te servir de tout ça ce soir pour attirer les confidences des uns et des autres.

Après avoir laissé le docteur tel que vous l'avez découvert dans la salle à manger, vous retournez tous les six au salon. Vous y prenez place tandis qu'un climat pesant s'installe. Tout le monde est secoué par cette histoire.

Les minutes passent sans que personne desserre les mâchoires. Tu tentes d'attirer les regards en promenant le tien sur les convives du docteur. Sans succès. On dirait qu'ils n'ont pas envie de parler. Peut-être te soupçonnent-ils, eux aussi ?

Tu penses que ce n'est qu'une question de temps et que l'ambiance va finir par se détendre.

Bien calée dans ton fauteuil, tu croises les jambes. Ta robe rouge, remontée jusqu'aux genoux, dévoile tes bas de soie et tes escarpins vernis à talons hauts. Tu es certaine de ton effet...

Soudain, Monsieur Violet se lève pour faire les cent pas. En passant près de toi, il te retourne ton sourire.

— Vous semblez bien calme depuis un moment, Mademoiselle Rose ! Où est passé votre esprit d'initiative de tout à l'heure ?

— Je respecte la douleur de chacun, répliques-tu.

— Quelle élégance !

— Mais j'avoue que j'irais bien me dégourdir les jambes dans le jardin. Ça vous tente ?

— Non, merci. Je préfère attendre ici.

Raté !

Un peu plus tard, c'est Madame Pervenche qui te paraît désireuse de communiquer. Tu lui tends une perche à elle aussi, mais le résultat est identique.

— Je n'ai pas le cœur à bavarder, Mademoiselle Rose. Pardonnez-moi.

À un moment, les trois hommes décident d'aller boire un armagnac dans le bureau du docteur. Mais ils ne te proposent pas de les accompagner.

Après leur retour, Mesdames Pervenche et Leblanc vont à la cuisine chercher de quoi grignoter, mais, là encore, tu n'es pas conviée. Comme si on se méfiait de toi... Tu te sens délaissée, ignorée, humiliée...

Cette heure qui défile en attendant le major-dome est interminable. Et tu dois reconnaître que tu t'es trompée. Il ne suffit pas d'avoir du charisme et un joli sourire pour que les langues se délient d'elles-mêmes. Ça se saurait si la qualité première des inspecteurs de police était le charme...

Tu as perdu.

Considère cet échec comme une erreur de débutant. Tu peux faire des choix bien plus judicieux et résoudre cette enquête, c'est certain.

43

Tu ressens une vive brûlure au fond de ta gorge, comme si une boule de feu roulait de ta bouche jusque dans ton estomac. Une bouffée de chaleur te monte au visage. Tu voudrais tousser mais tu te retiens. Tu devines que ton visage s'empourpre et que tes yeux sont humides. Pourtant tu résistes et restes stoïque.

— Vous ne vous sentez pas bien ? te demande Monsieur Olive.

— Si, si, mens-tu. Enfin... je n'ai pas tellement l'habitude de boire des alcools forts...

Tu t'en tires bien. Mais Monsieur Violet ne rate pas l'occasion d'ironiser sur la situation.

— On dit toujours qu'il n'y a que des alcooliques et des drogués dans le cinéma. Ce serait une légende ?

Tu préfères l'ignorer.

Alors qu'ils se servent une deuxième fois, ils te proposent de les accompagner à nouveau. Pour ne pas perdre la face devant cet affreux Monsieur Violet, et surtout pour t'intégrer, tu acceptes. La réaction est immédiate cette fois-ci : aussitôt le liquide ingéré, tes jambes se mettent à trembler. Monsieur Violet ricane d'un air mauvais.

Heureusement, Monsieur Moutarde prend ta défense. Et ça tombe bien car ta tête se met à tourner et tu es prise d'un vertige.

— Laissez-la, vous voyez bien qu'elle se sent mal !

Il te prend par le bras et te guide jusqu'à un sofa.

— Allongez-vous ! C'est de ma faute, j'aurais dû vous demander si vous aviez l'habitude avant de vous servir.

Tu fais ce qu'il te dit de faire. Tu t'étends sur les coussins moelleux du sofa et tu te laisses aller.

Tu ne savais pas vraiment jusqu'à aujourd'hui ce que c'était que l'ivresse. Eh bien, maintenant tu le sais. Ton esprit prend le large, la raison de ta présence dans cette pièce s'évanouit et l'enquête que tu t'es promis de résoudre devient soudain le cadet de tes soucis.

Le majordome et la police arriveront bien avant que tu recouvres tous tes esprits. Tu as perdu.

FIN

Tout le monde a le droit à un petit faux pas. Celui-ci restera sans grave conséquence. Tente à nouveau ta chance et, cette fois, ne néglige rien !

De retour au salon, tu essaies de faire le point.

Monsieur Olive reste un coupable sérieux. Mais son comportement est déroutant : il te provoque, te nargue, affiche une décontraction inadaptée aux circonstances... Tu ne sais comment l'interpréter.

Madame Leblanc a opéré un brusque changement d'attitude qui te laisse tout aussi perplexe. En même temps, tu imagines mal ce petit bout de femme lutter avec le docteur et en venir à bout...

Quant à Monsieur Moutarde, c'est une énigme à lui tout seul : il est tellement discret ! Mais peut-être sait-il quelque chose et que cet avantage le pousse à se taire ? Finalement, il est celui que tu as le moins étudié des trois.

Que faire ?

Si tu décides de continuer à faire secrètement cavalier seul, va au 24.

Si tu choisis d'approcher Monsieur Moutarde pour t'en faire un allié, va au 54.

Tu vas enfin pouvoir étudier le comportement des uns et des autres tout en jouant avec eux.

Lorsque chacun est bien installé sur un siège du salon, tu lances :

— Alors, qui a une idée sur la suite du jeu proposé par le docteur ?

— Je pense qu'il s'agissait d'une sorte de quiz musical, propose Monsieur Moutarde.

— N'importe quoi ! réplique Monsieur Violet. Il n'y a pas besoin de se bander les yeux pour faire un quiz !

— Alors pourquoi on appelle ça un *blind test* en anglais ? interroge Madame Pervenche.

— Un bon point pour vous, Madame Pervenche, intervient Madame Leblanc. La remarque de Monsieur Violet était stupide.

— Holà ! proteste celui-ci. Je croyais qu'on participait à un jeu. Est-ce que cette agressivité est vraiment nécessaire ?

Ça part très mal. Tu doutes. Cette idée de jeu t'apparaît soudain plutôt comme une fausse bonne idée.

C'est à toi de recadrer les choses, mais tu ne sais pas comment t'y prendre.

— Hum, je pense que le jeu du docteur allait

s'orienter vers une histoire de perception des sons et des couleurs, enchaîne Madame Pervenche.

— Expliquez-nous ça ! dit Monsieur Moutarde.

— À mon avis, ce n'est pas un hasard s'il nous a distribué des foulards de couleurs différentes ! Chacun avait un rouge ou un bleu vif plaqué contre les paupières, ça doit jouer sur nos perceptions, notamment sur notre ouïe.

Monsieur Violet éclate de rire :

— Pff ! Le docteur nous a conviés à un jeu de société, ce sont ses termes, pas à une expérience sensorielle !

— Qu'est-ce que vous êtes désagréable ! accuse Madame Leblanc.

Cette fois, tu es obligée de reprendre la main.

— Moi aussi, je vous ai proposé un jeu, pas un règlement de comptes !

Tu réalises que les esprits sont trop tendus pour jouer sereinement. Finalement, ta stratégie n'est pas pertinente.

— Moi, je trouve l'idée de Madame Pervenche très bonne, reprend Madame Leblanc.

— Moi aussi, renchérit Monsieur Olive.

— Oh, vous ! s'exclame Monsieur Violet. Dès qu'il s'agit de se faire bien voir de la gent féminine, vous êtes toujours le premier.

— Qu'est-ce que vous insinuez ? demande

Monsieur Olive.

— Vous m'avez très bien compris. Vous n'êtes qu'un comploteur ! Doublé d'un séducteur calculateur et d'un fourbe !

— Mais je ne vous permets pas, Monsieur-le-mathématicien-inventeur-qui-n'invente-rien-du-tout !

— Stooop ! hurles-tu. On se croirait dans une cour de récréation !

Les chamailleries s'arrêtent net !

— Et puisque c'est moi qui ai lancé l'idée de ce jeu, je déclare la partie terminée. Maintenant, si vous le voulez bien, attendons calmement l'arrivée d'Antoine.

C'était la seule chose à faire pour éviter que la situation ne dégénère en bagarre générale. Et si tu ne tiens pas à ce qu'un autre meurtre soit commis ce soir, tu as intérêt à veiller à ce que les suspects s'adressent le moins possible la parole.

Bien sûr, tu as perdu.

FIN

Si tu veux progresser, fais preuve de plus de finesse. Adapte-toi aux circonstances et... recommence !

46

Vous voilà à nouveau réunis, tous les six, dans le salon du docteur.

Puisque c'est elle qui est à l'initiative de votre association, tu laisses le soin à Madame Leblanc d'exposer aux autres le fruit de vos investigations. Puis, quand elle a fini, tu reprends la main :

— Bien sûr, il nous reste à lui trouver un mobile.

Un silence consterné fait suite à vos déclarations.

Madame Pervenche secoue la tête comme si elle n'arrivait pas y croire. Monsieur Violet, d'ordinaire plein de repartie, observe Monsieur Moutarde avec incompréhension. Quant à Monsieur Olive, il ne prononce pas un mot. Il se dandine, les mains dans les poches.

Naturellement, Monsieur Moutarde est toujours aussi amorphe. Comme si rien de ce qui se disait ne le concernait...

— N'est-ce pas, Monsieur Moutarde ? reprends-tu. Vous avez certainement une bonne raison d'avoir tué le docteur.

Il ne te voit même pas ; il promène son regard triste sur le mur qui lui fait face.

— Je crois comprendre ce qui s'est passé, intervient soudain Monsieur Olive.

Tout le monde se tourne vers lui.

— Lorsque je suis arrivé, le majordome était encore là. C'est lui qui m'a ouvert et conduit jusqu'au salon. De derrière la porte, j'ai entendu des éclats de voix. Je suis entré et j'ai ressenti une tension palpable entre le docteur et Monsieur Moutarde. Le docteur m'a accueilli en faisant comme si de rien n'était, puis vous êtes tous arrivés...

Les regards se portent à nouveau sur Monsieur Moutarde, qui reste sans réaction.

Vous prenez tous son silence pour un aveu.

Certes, vous n'avez pas réellement trouvé le mobile du crime mais votre conviction est maintenant suffisamment forte pour prendre des décisions.

— Je pense qu'il est inutile d'attendre le retour d'Antoine, reprend Monsieur Olive. Si vous êtes d'accord, je veux bien aller chercher la police. Plus tôt elle sera là, plus vite ce cauchemar finira !

Comme les avis semblent partagés, tu proposes que vous votiez.

 Si une majorité vote pour que Monsieur Olive aille prévenir la police, va au 8.

Dans le cas contraire, va au 28.

47

Madame Leblanc a besoin de parler et elle trouve en toi l'oreille idéale. Elle avait commencé à le faire avec Madame Pervenche mais tu lui as habilement subtilisé la place.

Tu la laisses lever le voile sur sa relation avec le docteur Lenoir. Peu à peu, elle t'en révèle des pans plus intimes. Il était pour elle plus qu'un ami : c'était un confident. D'ailleurs, ses petits amis vivaient mal cette complicité presque exclusive qu'elle avait avec lui. Ils finissaient par devenir jaloux du docteur.

Tu juges cette information très intéressante et l'amènes à te parler de ces hommes.

— Dernièrement, te répond-elle, Monsieur Olive et moi nous sommes beaucoup vus...

— Monsieur Olive ?! t'exclames-tu, très étonnée.

— Rassurez-vous, nous nous voyons en tout bien tout honneur, s'empresse-t-elle d'ajouter.

— Il est amoureux de vous ?

Madame Leblanc prend un air faussement modeste.

— Qu'allez-vous chercher...

Tu repenses alors à cet échange de regards

que tu as surpris il y a quelques minutes à peine entre Madame Leblanc et Monsieur Olive, en quittant le salon.

— Avez-vous parlé au docteur de ces rendez-vous avec Monsieur Olive ?

— Bien sûr.

— Qu'en disait-il ?

— Il me disait en riant que ce n'était pas un homme pour moi. Que c'était un charmeur, un beau parleur, mais qu'au fond il était calculateur, il ne s'intéressait qu'à sa réussite sociale et à son enrichissement personnel. Il trouvait aussi que Monsieur Olive était trop impulsif pour moi, qui apprécie les personnes raisonnables, qui réfléchissent avant d'agir.

— Et Monsieur Olive, est-il au courant de cette relation que vous entreteniez avec le docteur ?

— Oui, je ne lui ai rien caché.

— Qu'en pense-t-il ?

— Il n'aime pas que je lui en parle...

Tu as le sentiment d'approcher du but. Monsieur Olive est à tes yeux un coupable parfait. Amoureux de Madame Leblanc, il ne supportait pas sa relation avec le docteur. Ce soir, il est passé à l'acte : il a éliminé celui qui le rendait jaloux et empêchait son histoire d'amour de s'épanouir.

Mais à partir de là, que faire ?

Si tu veux confronter Monsieur Olive et Madame Leblanc, va au 59.

Si tu préfères affronter Monsieur Olive en tête à tête, va au 87.

48

Tu n'es pas trop pressée d'affronter Madame Leblanc. Tu préfères lui emboîter le pas pour tenter d'en apprendre un peu plus sur cette sortie.

Tu la suis dans le couloir sur la pointe des pieds. Ce faisant, tu regrettes d'avoir mis des escarpins à talons. La prochaine fois que tu te lances dans une enquête, vérifie que tu portes un jean et des baskets !

Madame Leblanc s'introduit dans le bureau du docteur et se met à inspecter la paperasse qui traîne sur sa table de travail. Puis elle jette un œil dans les tiroirs. Elle te paraît de plus en plus agitée.

Tu la surveilles discrètement depuis le couloir.

Au bout de quelques minutes, elle sort de la pièce en pestant : elle n'a visiblement pas trouvé ce qu'elle cherchait. Elle se dirige ensuite vers le salon et se livre à une fouille similaire. Tout y passe : le secrétaire, le buffet, la bibliothèque... Elle soulève coussins et fauteuils, regarde sous les meubles...

Son acharnement te paraît vraiment suspect. Et si c'était elle la coupable ?

Et si elle cherchait à effacer d'éventuelles

traces de son crime ou à faire disparaître des documents pouvant la compromettre ?

Tu en acquiers vite la certitude en l'observant fouiller frénétiquement les affaires du docteur Lenoir. Tu retournes avertir les autres.

— Que proposez-vous ? te demande Monsieur Violet.

— De la neutraliser dès qu'elle reviendra. Elle s'expliquera avec la police lorsque celle-ci arrivera.

Votre plan est mis à exécution dès que Madame Leblanc vient retrouver le groupe. Messieurs Moutarde et Violet se chargent de l'alpaguer et de lui attacher les mains dans le dos. Comme elle cherche à se justifier et hurle son innocence, vous décidez de la bâillonner. N'ayant plus la possibilité de s'exprimer, elle se contente de te fusiller du regard car elle a compris que tu étais à l'origine de cette action.

Vous retournez tous au salon et attendez patiemment la délivrance.

 Va au 74.

En faculté de psychologie tu as appris à étudier le comportement d'un groupe de gens face à une situation donnée. C'est exactement ce que tu as l'intention de mettre en pratique tout de suite.

Vous êtes tous assis dans le salon. Les cinq suspects t'observent : on dirait qu'ils ont accepté l'idée que tu prennes les rênes de l'enquête. Ils guettent ta prochaine directive.

Tu hésites entre la méthode douce et le coup de bluff.

Si tu te décides pour une confrontation en douceur, va au 11.

Si tu optes pour le coup de poker, va au 35.

Tu en restes sans voix.

— Moi non plus, je ne serais pas étonnée, renchérit sèchement Madame Pervenche.

— Je pense comme vous, ajoute Monsieur Olive.

C'est comme si tu recevais une rafale de flèches dans le dos. Tu te tournes vers Madame Leblanc, puis vers Monsieur Moutarde. Aucun ne s'oppose à cette accusation à peine voilée. Pire : ils baissent tous les deux les yeux.

— Mais vous êtes tombés sur la tête ?! t'écries-tu.

Pas de réponse.

En tout cas, toi, le ciel te tombe sur la tête.

Ils échangent quelques regards entre eux. Monsieur Violet reprend la parole.

— Je propose que nous l'enfermions dans le bureau du docteur et que nous allions attendre la police dans le salon.

— Il n'en est pas question ! ripostes-tu violemment.

Tu te précipites vers la porte mais le bras de Monsieur Olive t'agrippe au passage. Tu te débats comme tu peux : impossible, la prise est trop solide.

— La fuite n'est jamais une bonne défense ! lâche Monsieur Violet. Monsieur Moutarde, vous qui êtes le plus fort d'entre nous, donnez-nous un coup de main !

Et te voilà soulevée et emportée *manu militari*. Tu as beau secouer les jambes en tous sens tout en hurlant, tu as beau gifler et griffer les visages de ces messieurs qui te portent comme un vulgaire sac à patates, tu te diriges malgré ta volonté vers le bureau du docteur.

Ils te déposent sans ménagement sur le canapé et tu cherches aussitôt à te relever, mais Monsieur Moutarde te maintient d'une main en position assise.

— Ne nous obligez pas à employer la manière forte, te conseille-t-il.

Face à ces trois hommes, tu n'as aucune chance de quitter cette pièce sans leur consentement, et ils ne sont visiblement pas prêts à te le donner.

Tu te résignes à devenir leur prisonnière et ils s'en vont, sans un mot de plus, en prenant soin de donner un tour de clé à la porte du bureau.

Tu éclates en sanglots. Tu te sens tellement humiliée ! Par-dessus tout, tu es très mécontente de toi : tu estimes que tu as été d'une rare nullité.

Pendant que tu te lamentes sur ton sort et sur tes piètres qualités d'enquêtrice, l'assassin peut tranquillement préparer sa fuite. Les autres sont tellement persuadés de ta culpabilité qu'ils ne verront pas d'objection à ce qu'il ou elle quitte la maison avant l'arrivée de la police.

Tu as perdu.

FIN

Lorsqu'on prépare mal une attaque,
elle peut rapidement se retourner contre soi.
Si tu ne veux pas que ça t'arrive à nouveau,
pense aux conséquences possibles de
tout ce que tu entreprends et recommence
ton enquête depuis le début.

51

Les préparatifs dans la cuisine sont maintenant terminés.

— Et si nous retournions au salon pour grignoter ? lance Madame Pervenche.

Vous vous déplacez tous les six en silence.

Au salon, tandis que les uns et les autres s'offrent une collation, une question te taraude l'esprit : où est passé le mégot de la personne qui s'est introduite dans la salle à manger ?

Tu fausses compagnie aux amis du docteur et vas vérifier par toi-même. Tu t'introduis silencieusement dans la pièce et en fais le tour. Quelques secondes te suffisent : un cendrier repose sur un guéridon. Un seul mégot s'y trouve. Sans filtre !

Cette fois, ton enquête fait un bond de géant en avant. Tu as d'excellentes raisons de penser que Monsieur Olive, qui ne fume que des cigarettes sans filtre, est le coupable.

Tu prends une serviette en papier sur la table à manger et roules le mégot dedans en ayant bien soin de ne pas y coller tes propres empreintes.

Si, forte de cette découverte, tu décides d'interroger Monsieur Olive en tête à tête, va au 62.

Si tu penses qu'il est préférable de l'affronter devant les autres, va au 23.

Tu retrouves les quatre autres convives dans la salle à manger. On dirait que la présence d'un cadavre dans la pièce ne les dérange pas !

— Vous ne croyez pas qu'il serait plus décent d'attendre au salon ? demandes-tu.

Ils se regardent les uns les autres et approuvent ta proposition.

En file indienne, vous quittez la pièce. Tu prends soin de sortir la dernière et tu refermes la porte.

Monsieur Moutarde te précède dans le couloir.

Tu as un temps d'avance sur Madame Leblanc : tu as déjà bien observé les suspects et l'envie de te confronter aux deux derniers en liste te titille.

Si tu veux profiter de ce moment pour prendre Monsieur Moutarde à l'écart, va au 84.

Si tu préfères suivre le groupe au salon et attendre l'opportunité de pouvoir t'isoler avec Monsieur Olive, va au 60.

Qu'à cela ne tienne ! Personne ne veut t'aider ? Grand bien leur fasse, tu agiras seule ! Tu vas les bombarder de questions jusqu'à ce qu'il en sorte quelque chose.

— Monsieur Moutarde, quand avez-vous vu le docteur pour la dernière fois, avant ce soir ?

Monsieur Moutarde te fixe, ne sachant s'il doit répondre. Puis il lance un regard aux autres convives du docteur qui le laissent libre de sa décision.

— C'était au mariage d'un ami commun, il y a environ trois mois, finit-il par répondre.

— Et vous n'avez rien décelé d'inhabituel dans son comportement ?

— Absolument pas.

Tu changes d'interlocuteur et te tournes vers Madame Pervenche.

— Depuis quand connaissiez-vous le docteur ?

— Je dirais... cinq ou six ans, répond-elle après une brève hésitation.

— Vous lui connaissez des ennemis ?

— Le docteur ? Des ennemis ? Vous voulez rire !

— En général, on ne tue pas quelqu'un pour lui manifester de l'affection ou son amitié, rétorques-tu. Nous devons admettre l'idée que le docteur ne comptait pas que des amis.

Puis tu regardes Monsieur Olive dans le blanc des yeux.

— Peut-être y a-t-il une histoire d'argent sous ce crime. Monsieur Olive, vous qui êtes dans les affaires, comment se portaient les finances du docteur ?

— Comment voulez-vous que je le sache ? contre-t-il, apparemment surpris par ta question.

— On doit se confier facilement à un expert tel que vous, non ?

— Votre raisonnement n'est pas idiot, Mademoiselle Rose, mais le docteur ne s'est jamais confié à moi à ce sujet.

— Dois-je comprendre qu'il se serait confié sur un autre sujet ? enchaînes-tu avec à-propos.

Il secoue la tête.

— Bien vu, une fois de plus. Mais c'était une façon de parler, tout le monde l'aura compris.

Tu t'apprêtes à poser une question à Madame Leblanc quand Monsieur Violet te coupe.

 Pour savoir de quelle manière, va vite au 88.

54

Monsieur Moutarde est seul dans son coin. Il te paraît moins nerveux que tout à l'heure dans la salle à manger.

Tu décides de tenter une approche en douceur.

— Cette attente est interminable, dis-tu en guise de préambule.

— Oui, c'est la pire soirée que j'ai passée depuis bien longtemps.

— Voulez-vous faire quelques pas dehors ?

Il lance alors un regard en direction de Monsieur Olive.

— Non, j'aime autant rester ici.

Tu es de plus en plus convaincue qu'il sait quelque chose mais ne veut pas le partager.

— Je ne suis pas votre ennemie, au contraire, reprends-tu. Pourquoi refusez-vous la discussion ?

Il ne répond pas.

— Je suis certaine que vous avez votre idée sur ce qui s'est passé ce soir, poursuis-tu.

— Je ne vois pas de quoi vous voulez parler.

— Il se pourrait que moi aussi j'aie mon idée...

— Tant mieux pour vous !

— Pourquoi ne pas confronter nos points de

vue ? S'ils vont dans le même sens, nos intui-
tions pourraient devenir des certitudes ?

Il te fixe sans parler.

— Laissez-moi vous exposer ce que je sais !
dis-tu. Allons dans le jardin !

Il te scrute encore plus intensément.

— L'allée du garage me paraît plus appro-
priée, répond-il. Allez-y ! Je vous y rejoins.

 Va au 40.

55

Le simple fait de poser cette question signifie pour toi que Monsieur Olive est au courant de certaines choses et qu'il aimerait savoir si tu vas dans la bonne direction.

Tu n'as aucune idée de ce que tu re-cherches, mais tu décides de lui faire croire le contraire, quitte à inventer n'importe quoi.

— Je cherche l'arme du crime. Je pense que le docteur a été tué d'un coup de chan-delier ou de barre de fer. Ce genre d'objet qui aurait pu causer ces rougeurs dans son cou...

Monsieur Olive se met à ricaner.

— Pourquoi riez-vous ? demandes-tu.

— Si je devais commettre un meurtre, je ne penserais jamais à utiliser ce type d'arme.

— Ah bon ? Vous utiliseriez quoi ?

Il soupire :

— À quoi bon en parler puisque ce n'est pas à l'ordre du jour ?

— Ça pourrait m'aider à découvrir la vérité.

— Vous vous débrouillez très bien toute seule.

Tu replonges la tête dans le secrétaire. Dans un tiroir se trouvent des ampoules neuves, dans un autre, quelques albums photo...

— Saviez-vous que le docteur écrivait un roman ? te demande Monsieur Olive, placé derrière toi.

— J'ai appris ça tout à l'heure, réponds-tu sans te retourner.

— Il l'a intitulé « Sur la corde raide ». Intéressant, non ?

Il te faut une seconde pour comprendre.

Une seconde de trop : tu n'as plus le temps de réagir.

Tu ressens une pression insupportable autour de ton cou. L'air te manque. Monsieur Olive est dans ton dos, il serre la corde de toutes ses forces. Le combat est inégal. Tu suffoques déjà.

— Vous n'auriez pas dû vous mêler de ce qui ne vous regardait pas, Mademoiselle Rose, souffle-t-il.

Avant de t'effondrer, tu as le temps de réaliser que tu as identifié le meurtrier ainsi que l'arme du crime, mais il te manque une chose essentielle : son mobile. Et dans quelques secondes, il te manquera aussi la vie !

Pourquoi ne pas recommencer
ton enquête en prenant moins de risques
et en laissant moins de place
à la chance ?

Quoi qu'il arrive, Monsieur Olive reste ton suspect numéro 1. Tu décides de laisser Monsieur Moutarde sortir au jardin et pars à la recherche de l'homme d'affaires.

Tu commences par les toilettes : elles sont inoccupées ! Son mensonge renforce ta suspicion.

Tu vérifies la salle de bains, la salle à manger, le bureau, la chambre du docteur... aucune trace de Monsieur Olive.

Tu essaies le spa, puis le garage : sa voiture est toujours là.

Tu reviens sur tes pas et, en approchant de la salle de jeux, tu entends quelqu'un chuchoter. Tu colles ton oreille contre la porte et reconnais la voix de Monsieur Olive. Il est seul à parler, ce qui te conforte dans l'idée qu'il téléphone à quelqu'un. S'il possède encore son portable, cela signifie sans aucun doute qu'il est le coupable !

Si tu choisis d'aller chercher les autres en renfort pour l'accuser tous ensemble, va au 32.

Si tu ne veux pas courir le risque de le laisser s'envoler, va au 20.

Tu t'y es mal prise. Les convives du docteur ne sont pas prêts à se confier. En tout cas, pas en groupe. Quant au coupable, il fallait être bien naïve pour penser qu'il avouerait son crime aussi facilement.

Tu aimerais pouvoir crier : « Coupez ! on la refait ! » Mais on n'est pas au cinéma et tu dois enchaîner.

— Je suis désolée, dis-tu. Je ne voulais pas vous embarrasser. Peut-être préféreriez-vous parler en tête à tête ?

Une fois de plus, tu n'obtiens pour toute réponse qu'un silence humiliant. Décidément, ta technique n'est pas au point.

— Madame Leblanc, voulez-vous que nous allions bavarder dans une autre pièce ?

Madame Leblanc refuse d'un signe de tête.

— Monsieur Olive ? interroges-tu.

Il ne se donne même pas la peine de te répondre. Il t'ignore.

— Monsieur Moutarde ?... Monsieur Violet ?... Madame Pervenche ?

Tu t'es rarement sentie aussi mal. Tu n'imaginais pas recevoir un affront pareil.

Tu dois te rendre à l'évidence : la partie est perdue. Tu as fait les choses à l'envers et personne n'a envie de se confier. Tu n'as plus qu'à faire comme les autres : attendre le major-dome qui ira chercher la police.

Tu as des progrès à accomplir comme enquêtrice, mais ne baisse pas les bras et recommence en faisant des choix plus judicieux.

58

Tu te sens plus à l'aise avec les femmes, aussi tu choisis de faire amie-amie avec Madame Leblanc.

Tu rejoins les autres dans la salle à manger et tu leur proposes de retourner au salon : la bienséance impose de laisser le corps du docteur dans le silence. Vous lui adressez un dernier regard de circonstance et sortez.

De retour au salon, tu t'arranges pour t'asseoir à côté de Madame Leblanc.

— C'est tellement incroyable ce qui s'est passé, lances-tu. La soirée s'annonçait si bien...

— Vous n'avez pas idée à quel point la mort du docteur me touche, répond-elle. Je suis infiniment triste.

Tu lui prends la main et la caresses avec douceur. Elle te fixe alors d'un regard pénétrant. Tu sens qu'elle a envie de te parler.

— Suivez-moi ! te murmure-t-elle simplement en se levant.

Il y a un risque à aller t'isoler avec elle, après tout c'est peut-être elle la coupable, mais tu es prête à le prendre. Vous quittez le salon l'une derrière l'autre.

Va au 79.

Tu fixes Madame Leblanc dans le blanc des yeux.

— Vous voulez bien aller chercher Monsieur Olive au salon ?

Elle est très surprise par ta demande.

— Pour quoi faire ?

— Parce que j'ai la conviction que c'est lui qui a tué le docteur et si c'est moi qui vais le chercher, il ne voudra pas me suivre.

Elle en a le souffle coupé.

— Je pense que vous êtes aussi amoureuse de lui qu'il l'est de vous, expliques-tu. C'est la raison pour laquelle vous ne pouvez pas l'imaginer dans ce rôle-là. Ça ne vous a même pas effleuré l'esprit. Mais croyez-moi : je suis sûre de ce que j'avance.

— Mais pourquoi le faire venir ici ?

— Je voudrais lui poser quelques questions. S'il est innocent, il devrait pouvoir nous le prouver aisément...

Madame Leblanc hésite encore un peu, puis elle finit par se lever et quitter le bureau.

Va-t-elle revenir avec Monsieur Olive ?

Pour le savoir, va au 76.

Ton instinct te guide vers Monsieur Olive qui t'a semblé bien trop décontracté dans la salle à manger alors qu'un crime venait d'être commis. C'est louche !

Dès que vous êtes tous installés au salon, tu prends le taureau par les cornes.

— Je pense que quelques boissons fraîches nous feront le plus grand bien. Vous m'accompagnez à la cuisine, Monsieur Olive ? Comme ça on ne m'accusera pas de vouloir fuir cette maison !

Il sourit et se lève sans faire de commentaire.

Une fois dans la cuisine, tu passes à l'attaque :

— Je trouve votre comportement plutôt étrange, Monsieur Olive. Je vous observe depuis un moment et vous n'avez pas l'air de quelqu'un qui vient de perdre un ami.

— Est-on maître de ses réactions ? te répond-il sans s'offusquer.

— Sans doute que non. Mais elles traduisent forcément quelque chose.

— Et que traduisent mes réactions selon vous ?

— Une absence de compassion et de tristesse. Une absence de surprise aussi. Beaucoup de détachement et de désinvolture en tout cas...

Il t'observe sans se départir de ce petit sourire en coin qui te met hors de toi.

— Soyons clair, Mademoiselle Rose ! Vous m'accusez d'avoir tué le docteur ?

Le fait qu'il te tende cette perche te déstabilise. Le déroulement de la discussion t'échappe.

— Savez-vous qu'il faut des preuves pour cela ? ajoute-t-il.

— Faisons ce pour quoi nous sommes venus ici ! réponds-tu sèchement.

Tu disposes six verres sur un plateau et sors des jus de fruits du réfrigérateur.

— À vos ordres, inspecteur ! te nargue-t-il.

Vous retournez au salon, les bras chargés, et servez les convives. Madame Leblanc les a rejoints. Elle ne te fait aucun signe qui pourrait te laisser croire qu'elle a découvert quelque chose.

Contre toute attente, Monsieur Olive vient te relancer.

— Et si nous allions poursuivre notre charmante conversation dans le jardin en buvant ce verre ?

Si tu acceptes, va au 90.

Si tu refuses, va au 85.

Tu es une femme, tu as le sentiment que tu apprendras plus de choses de Mesdames Pervenche et Leblanc que des hommes.

Tu les observes attentivement. Sans faire cas de ta présence, elles entament une conversation à propos du docteur. Madame Leblanc paraît la plus affectée par ce qui vient de se passer. La grande avocate s'exprime en sanglotant, comme une fillette inconsolable.

Elle raconte à Madame Pervenche combien elle était attachée au docteur, depuis très longtemps. Et tu tombes des nues lorsqu'elle évoque des souvenirs d'enfance avec lui.

— Nous allions en vacances à la mer chaque année, confie-t-elle. Nous avons quasiment grandi ensemble et n'avions aucun secret l'un pour l'autre.

Forcément, cette information te paraît capitale.

Si tu penses qu'elle te permet d'accuser Madame Leblanc, va au 33.

Si tu estimes qu'il faut cuisiner Madame Leblanc pour en apprendre plus, va au 13.

Tu dissimules ta preuve dans un tiroir du buffet. Tu n'indiqueras ta cachette qu'à la police. Puis tu retournes au salon.

Monsieur Olive se tient à l'écart des autres, un verre de vin à la main. Il a toujours l'air préoccupé. Tu te diriges vers lui, l'air de rien.

— Une partie d'échecs, Monsieur Olive ?

Il te scrute longuement avant de répondre :

— Vous pensez être à la hauteur ?

— Je m'efforcerai de l'être. Je pense que nous serons plus tranquilles dans le bureau du docteur, qu'en dites-vous ?

— Je vous suis.

 Va au 92.

Sans trop savoir pourquoi, ton instinct te pousse vers Monsieur Olive.

De retour dans la salle à manger, tu t'approches négligemment de lui. Tu es prête pour un grand numéro de charme improvisé.

— Il fait une chaleur dans cette maison, susurres-tu. J'ai vraiment besoin d'aller prendre l'air...

Il te regarde avec un léger sourire en coin.

— Voulez-vous que je vous accompagne ?

Tu le fixes dans les yeux.

— Je n'osais pas vous le demander...

Vous sortez tous les deux, sous l'œil réprobateur des autres convives, notamment de Madame Leblanc qui ne paraît guère apprécier votre soudaine complicité.

Une fois dans le jardin, vous marchez côte à côte le long d'une allée bordée d'arbres majestueux.

— Cette soirée est affreusement éprouvante, dis-tu. Le docteur était un homme si bon...

— En effet, c'est une grande perte pour nous tous.

Tu te forces à peine et les larmes arrivent. Forcément : tu as du métier. Aux premiers sanglots, il se tourne vers toi et te prend dans ses bras.

— Ça va aller, Mademoiselle Rose. Ça va aller...

Son parfum est agréable, ses mains sont douces sur tes épaules nues.

Monsieur Olive se met alors à chuchoter à ton oreille. Il te dit des choses sensibles, il te raconte comment il a perdu sa mère étant jeune. Sa voix chaude est terriblement rassurante.

Tu perds un peu les pédales : tu voulais le séduire pour mieux le faire parler mais c'est peut-être l'inverse qui est en train de se produire ! Tu sais que c'est un beau parleur : Monsieur Olive a la réputation d'être manipulateur et calculateur, charmeur et séducteur. Tu n'ignores rien de tout ça et pourtant...

Tu lèves la tête et il t'adresse le plus craquant des sourires. Tu ne l'avais jamais regardé sous cet angle : tu le trouves incroyablement beau ! Ses yeux plongent dans les tiens et tu chavires...

Tu essaies de réfléchir à cette situation absurde, mais tu as de plus en plus de mal à relativiser les choses : il se passe quelque chose que tu ne contrôles plus. Tu es prise à ton propre piège. Que faire ?

Tu voudrais faire marche arrière mais tu

ne le peux pas. Même si Monsieur Olive te déclarait froidement qu'il est le meurtrier, tu le garderais pour toi, tu serais même prête à le couvrir et à l'aider à fuir.

Dans ces conditions, tu dois renoncer à ton enquête : tu n'es plus capable de la mener.

Tu abandonnes la partie en te disant que, quand cette sale histoire sera terminée, une autre naîtra peut-être entre Monsieur Olive et toi. Et celle-ci sera une histoire heureuse...

Ressaisis-toi et retente ta chance en essayant de maîtriser tes sentiments. Un détective digne de ce nom fait passer l'enquête avant tout !

64

Vous craignez tous que Monsieur Olive ne s'enfuie. La priorité des priorités est de le neutraliser. Vous retournez vite à la salle à manger et vous décidez d'un commun accord d'enfoncer la porte.

— Laissez-moi faire ! ordonne crânement Monsieur Violet.

Il recule d'un pas et se lance contre la porte, épaule en avant. Le bruit est impressionnant... mais la porte résiste !

Vexé, il prend un peu plus d'élan et renouvelle l'opération, plus violemment.

Toujours rien. Les gonds et la serrure tiennent bon et le bois ne bronche pas.

— Eh bien, Monsieur Violet ! ironises-tu. C'est bien beau d'être un génie en mathématiques, mais ça n'augmente pas votre masse musculaire !

Il t'adresse un regard noir et s'apprête à recommencer. Cette fois, il se jette de toutes ses forces contre la porte, sans plus de résultats. En revanche, il se tient le bras en se tordant de douleur.

— Laissez faire Monsieur Moutarde, le rabaisses-tu. Il ne se vante pas d'avoir inventé la lune, lui, mais sa maîtrise des arts martiaux devrait lui permettre de nous aider à entrer dans cette pièce.

Sans un mot, Monsieur Moutarde se place devant la porte. Il se met en position de combat, prend une grande respiration et, d'un mouvement ultrasec, balance sa jambe à la manière d'un karatéka à quelques millimètres seulement de la serrure. Celle-ci vole en éclats et la porte s'ouvre.

 Va vite au 37.

65

Il serait irresponsable d'accepter de suivre Madame Leblanc. Il y a une chance sur trois pour qu'elle soit l'assassin du docteur Lenoir ! Elle projette peut-être de te réserver le même sort... Dans le meilleur des cas, elle pourrait te séquestrer pour que tu n'entraves pas ses plans !

Et puis, pourquoi te demander de la suivre ? Si elle a quelque chose à te dire, elle peut très bien le faire ici, dans ce couloir où vous êtes seules...

Sa proposition te paraît de plus en plus suspecte.

— Non, réponds-tu. Je retourne avec les autres.

— Comme vous voudrez !

Elle tourne les talons et s'éloigne dans le couloir. Bien sûr, tu la suis à distance et, dès qu'elle a franchi le seuil de la salle de bains, tu l'enfermes à l'intérieur et appelles à l'aide.

— Au secours ! Venez vite !

Messieurs Moutarde et Violet accourent.

Tu leur expliques la situation et cela semble leur suffire pour maintenir Madame Leblanc prisonnière dans la salle de bains. Ils font glisser une imposante armoire normande de quelques mètres pour en condamner la porte. Les vociférations de Madame Leblanc n'y changent rien.

Vous allez retrouver le groupe pour attendre sereinement l'arrivée de la police.

 Va au 74.

66

Tu ne te sens pas les épaules assez larges pour enquêter seule. Tu as besoin d'un coup de main. Tu veux solliciter la participation d'un autre convive du docteur. À deux, les choses seront certainement plus faciles.

— Nous devons essayer de comprendre ce qui s'est passé, déclares-tu. Il y a un criminel parmi nous et il faut le démasquer. Est-ce que quelqu'un accepterait de m'aider pour tenter de clarifier cette histoire ?

Un ange passe.

— Je comprends votre réticence, enchaînes-tu. Il y a un danger à se lancer dans cette enquête. Il faut s'attendre à ce que l'assassin ne voie pas d'un très bon œil que nous cherchions à l'identifier et il pourrait récidiver... Toutefois, tout le monde est prévenu et sur ses gardes, à présent ; nous ne craignons donc plus grand-chose.

Les cinq suspects t'écoutent mais ne te répondent toujours pas. Comme s'ils s'étaient passé le mot.

En fait, chacun est sur ses gardes. Chacun suspecte tout le monde. Sans doute te suspectent-ils aussi et personne ne pourrait leur donner tort.

Ils sont encore sous le choc. Tu les as affrontés un peu trop tôt, sans doute. Ils ne sont pas prêts à se lancer dans cette aventure.

Mais tu n'as pas dit ton dernier mot…

 Va au 53.

67

Tu tiens Monsieur Moutarde, et tu sais qu'un tiens vaut mieux que deux tu l'auras !

Tu empruntes le même couloir que lui et débouches sur le hall d'entrée. La porte donnant sur le jardin est entrouverte.

Tu te glisses dehors et aperçois à nouveau Monsieur Moutarde qui marche rapidement en direction des grilles de la propriété.

Tu te caches derrière un muret pour mieux le surveiller...

Arrivé à l'extrémité de l'allée, Monsieur Moutarde s'adosse au portail et attend. Tu te demandes bien quoi : tu décides de patienter un peu.

Au bout de quelques minutes durant lesquelles il ne se passe rien, tu pars le rejoindre. Quand tu arrives à sa hauteur, il te demande innocemment ce que tu fais là.

— Ce serait plutôt à moi de vous poser cette question, répliques-tu.

— Alors disons que nous prenons l'air tous les deux !

L'ambiance est plutôt tendue : vous vous suspectez l'un l'autre.

À cet instant, Antoine arrive au volant de sa voiture. En quelques phrases, vous lui résumez la situation et le chargez de vite aller prévenir la police.

Dès qu'il est reparti, tu suggères à Monsieur Moutarde de rentrer au salon, mais il hésite.

— Je préfère attendre ici.

— Pourquoi donc ?

— J'ai mes raisons.

— Pourquoi ne pas me les donner ? Je pourrais aussi vous apprendre certaines choses...

— Je n'en vois pas l'intérêt.

Décidément, Monsieur Moutarde n'est pas très coopératif.

Vous patientez encore quelques minutes en silence et la police finit par arriver.

— Je peux vous le dire, maintenant, te souffle alors Monsieur Moutarde. Quand Monsieur Olive a quitté le salon, j'ai pensé qu'il allait peut-être fuir, c'est pourquoi je suis venu ici.

— Vous pensez que c'est lui, le meurtrier ?

— Je suis quasiment certain qu'il est sorti du salon quand nous écoutions Charlie Parker.

— Pourquoi ne pas me l'avoir dit ? J'avais aussi de forts soupçons à son sujet.

— Je pourrais vous retourner la question, mais ça ne servirait à rien. La police va faire son travail et nous allons pouvoir rentrer chez nous.

Tu as perdu. Si tu t'étais penchée plus tôt sur le cas de Monsieur Moutarde, peut-être seriez-vous arrivés à démasquer ensemble le coupable ?

Tu as fait de mauvais choix, mais il n'est pas trop tard pour te rattraper !
Recommence l'enquête depuis le début : aucun doute que tu réussiras à élucider le meurtre du docteur Lenoir.

68

Tu te sens attaquée, en terrain hostile, et tu n'aimes pas ça.

Tu regardes Monsieur Moutarde dans les yeux et respires un grand coup avant de lui répondre :

— Je n'insiste pas, j'essaie juste de trouver une occupation de circonstance. Nous avons une heure à passer ensemble, on ne va tout de même pas la passer à se regarder en chiens de faïence ?

— Étant donné que celui qui nous a réunis n'est plus là, nous ne sommes pas tenus de rester ensemble, rétorque Monsieur Violet. Je veux dire dans la même pièce.

— Absolument ! approuve Monsieur Olive.

Ton sang commence à bouillir.

— Vous voulez que je vous dise ? Vous avez peur de connaître la vérité ! Tous autant que vous êtes ! Vous n'êtes que des lâches !

— Pour qui vous vous prenez ? riposte Madame Pervenche. Votre petit jeu est insupportable ! Si vous avez un cœur de pierre, ayez au moins la décence de respecter la douleur des autres !

— Je ne vous connaissais pas sous ce jour, Mademoiselle Rose, ajoute Madame Leblanc. Vous me décevez beaucoup !

Tu sens cinq paires d'yeux te fusiller. Tu ne sais pas trop comment la situation s'est retournée aussi vite contre toi mais tu es au pied du mur. Tu cherches une parade pour t'en sortir mais les dés semblent jetés. Tu es allée trop loin.

— Plus ça va plus je me demande si votre comportement ne cache pas quelque chose, reprend Monsieur Violet.

— Que voulez-vous dire ? lui demandes-tu, soudain inquiète.

— Visiblement, vous cherchez à semer la confusion depuis un moment. Une technique pour faire exploser le groupe, peut-être ? Vous seriez l'assassin du docteur que je ne serais pas plus étonné que ça.

 Va au 50.

69

Tu préfères ne pas répondre.

Monsieur Olive insiste.

Tu résistes et, forcément, ça l'agace. Il se rend compte que quelque chose se trame mais il ne comprend pas de quoi il s'agit. Il te bombarde de questions et s'énerve tout seul. Pour toi, c'est un signe : il sait quelque chose. Aussi finis-tu par accepter la discussion afin de le faire parler.

— Je cherche un document qui pourrait compromettre l'un d'entre nous. Ou tout du moins me mettre sur la voie... Nous sommes tous suspects. L'assassin est parmi nous : il s'appelle peut-être Monsieur Violet, Madame Pervenche, Madame Leblanc, Monsieur...

— Certainement pas Madame Leblanc ! coupe-t-il.

Tu suspends ton énumération, étonnée. Ton interlocuteur a certainement une bonne raison d'écarter Madame Leblanc : il connaît l'identité du meurtrier ! Tu décides de ruser pour l'amener à te révéler son secret.

— Pourquoi pas Madame Leblanc ? répliques-tu. Elle est à mes yeux la plus suspecte d'entre nous !

— Vous voulez rire ?

— Je suis très sérieuse. Et j'ai un début de preuve.

— Peut-on savoir de quoi il s'agit ?

— Permettez-moi de réserver cette information pour la police, si vous voulez bien.

Soudain, Monsieur Olive devient livide.

— Vous ne pouvez pas faire ça !

— Et pourquoi donc ? demandes-tu.

— Parce qu'elle est innocente !

— Comment pouvez-vous en être aussi sûr ?

— Parce que je vous le dis !

Il a à présent les yeux vitreux et de l'écume aux coins des lèvres.

— C'est un peu léger comme argument, vous en conviendrez.

— Laissez Madame Leblanc en dehors de tout ça ! martèle-t-il.

— Donnez-moi une seule bonne raison de l'éliminer de la liste des suspects !

— Elle est innocente, je vous le répète !

— Comment le savez-vous ?

— Je le sais parce que c'est MOI qui ai tué le docteur !

 Si tu veux savoir pourquoi, va au 78.

70

Madame Leblanc te rejoint quelques secondes plus tard.

— Alors ? t'empresses-tu de lui demander. Vous avez découvert quelque chose ?

— Non. Rien du tout. J'ai décidé d'abandonner. La police fera son travail. Je suppose que vous n'avez pas avancé non plus ?

Tu es surprise par son changement d'attitude. Où est passée sa détermination ? Et son expérience professionnelle ? Et son amitié avec le docteur ? Tu ne sais pas comment interpréter tout ça. Peut-être a-t-elle découvert quelque chose qui ne lui plaisait pas ? Et si elle n'était pas si innocente que ça ? Et si elle avait simplement cherché à effacer des traces de son crime et profité de ta naïveté en t'envoyant traquer le coupable alors que c'était elle ?

Ça fait beaucoup de questions sans réponse.

Dans le doute, tu préfères taire ce que tu sais.

— Non, j'en suis toujours au même point.

Votre collaboration s'arrête là. Du coup, le nombre de tes suspects remonte à trois, ce qui n'est pas une très bonne nouvelle.

Vous retournez au salon.

 Va au 44.

71

Tu vas faire preuve de psychologie et aller vers les autres sans rien dévoiler de ton objectif. Personne ne doit savoir que tu t'es mis en tête de démasquer le coupable.

Pour cela, tu t'immerges dans le groupe. Tu profites d'un moment de silence pour t'adresser à Madame Leblanc.

— Vous vous sentez mieux ?

— Je n'arrive toujours pas à y croire, te répond-elle, la voix brisée. J'ai l'impression de vivre un cauchemar.

Monsieur Moutarde s'approche de vous, l'air compatissant.

— Je ressens la même chose, moi aussi. C'est la première fois que j'assiste à une tragédie pareille. Qu'est-ce qu'on est censés faire ? Est-ce qu'on doit vraiment attendre Antoine les bras croisés ?

Puis c'est Madame Pervenche qui se joint à vous.

— C'est terrible, cette situation. De discuter dans cette pièce alors que le docteur est là, sans vie, à côté de nous... On se croirait dans une mauvaise série policière !

Se sentant peut-être isolés, Messieurs Olive

et Violet décident de s'approcher à leur tour.

— Que proposez-vous ? questionne Monsieur Olive.

Monsieur Violet lève les yeux au ciel.

— Mais il n'y a rien à proposer. Mademoiselle Rose a très bien résumé la situation : personne ne doit sortir de cette maison avant l'arrivée de la police. Point !

Pour une fois qu'il te donne raison ! Toutefois tu ne peux pas t'empêcher de te demander s'il n'est pas en train de se moquer de toi...

— Ça ne nous empêche pas d'essayer de trouver le coupable nous-mêmes, reprend Monsieur Moutarde.

Il réfléchit un instant avant d'ajouter :

— En même temps, je me demande si je ne préfère pas ne pas savoir de qui il s'agit...

— Pourquoi ça ? demande Monsieur Olive.

— Parce que je pense que j'aurais du mal à me contenir, répond Monsieur Moutarde en serrant les poings.

Monsieur Moutarde étant un as en arts martiaux, chacun comprend ce qu'il sous-entend. Sauf Madame Pervenche qui a besoin d'une confirmation.

— Vous voulez dire que...

— Il veut dire qu'il y aurait deux cadavres

dans cette maison au lieu d'un ! coupe Monsieur Violet. Charmante perspective, n'est-ce pas ?

La conversation va bon train entre tous les convives. Sans en être exclue, tu n'en es pas le pivot. C'est exactement ce que tu voulais...

Si tu penses qu'il est temps de reprendre la main et d'orienter la discussion vers le sujet qui t'intéresse, va au 22.

Si tu préfères en profiter pour t'éclipser afin d'aller fouiner dans la villa, va au 14.

72

Messieurs Olive, Violet et Moutarde sirotent un verre, assis autour d'une table basse en noyer.

Tu t'approches d'eux d'un air victorieux qui les interpelle.

— L'assassin est sous les verrous ? te demande Monsieur Violet avec ce petit sourire sournois qui lui colle aux lèvres.

Tu décides de l'ignorer et déclares :

— J'ai découvert qui était l'assassin !

— Qu'est-ce que je disais ! siffle-t-il.

— Il s'agit de Madame Leblanc ! poursuis-tu sans relever. Saviez-vous qu'elle était amoureuse du docteur ?

Tous trois te fixent comme si tu venais de leur annoncer que tu étais une extraterrestre.

— C'est tout ce que ça vous inspire ? interroges-tu.

Ils se concertent du regard, puis Monsieur Moutarde prend la parole :

— Puisque vous en êtes convaincue... Nous verrons bien si la police confirme votre thèse.

Monsieur Olive semble troublé mais ne dit rien.

— Je pense que le FBI et Scotland Yard vont s'arracher vos services, Mademoiselle Rose, commente Monsieur Violet, toujours aussi moqueur.

Mais malgré ses sarcasmes, tu restes fière de toi.

— Messieurs, il est inutile que nous perdions tous notre temps. Rentrez chez vous, j'expliquerai la situation à la police.

Ils se lèvent sans se faire prier et se dirigent vers la porte après t'avoir saluée. Monsieur Violet ne peut s'empêcher de t'adresser une dernière flèche :

— Si nous avons l'autorisation du détective Rose, nous sommes couverts...

« Quel ignoble individu ! » te dis-tu.

 Il est temps pour toi de retrouver les femmes au salon : va au 93.

apie dans un coin du jardin, tu ne quittes pas des yeux la fenêtre de la salle à manger.

Soudain, tu aperçois une flamme, puis un nuage de fumée. L'intrus vient de s'allumer une cigarette. Ce détail peut avoir son importance par la suite.

Il ne se passe plus rien pendant quelques minutes, jusqu'à ce que la porte donnant sur le couloir s'ouvre. La silhouette sort de la salle à manger.

Tu décides de rentrer dans la villa.

 Va au 9.

Lorsque l'inspecteur Lapipe découvre la célèbre avocate ainsi mise hors d'état de nuire, il la libère aussitôt et l'invite à parler. Hélas, ce qu'elle a à dire ne joue pas en ta faveur : Madame Leblanc avait décidé d'enquêter de son côté, elle était à la recherche d'éventuelles preuves oubliées par le meurtrier. Par ta faute, le vrai coupable a eu tout le loisir de faire disparaître toute trace de son forfait car votre vigilance a considérablement baissé après votre bévue.

L'inspecteur Lapipe a envie de te tordre le cou mais il se contente de te dire tes quatre vérités :

— Mademoiselle Rose, est-ce que vous avez déjà vu un policier s'inviter sur un plateau de tournage et donner la réplique alors que les caméras tournaient ? La prochaine fois, ne prenez aucune initiative et laissez-nous faire notre travail !

Tu as perdu.

FIN

Un conseil : recommence cette enquête
en tenant compte de la menace
de l'inspecteur ! Et cette fois-ci, essaie de ne
pas saboter l'enquête...

Cette conversation ne mènera à rien de bon. Tu trouves le comportement de Monsieur Olive de plus en plus énigmatique et inquiétant. Tu souhaites abréger la promenade.

— Rentrons ! J'ai froid, mens-tu.

— Comme il vous plaira, répond-il.

Vous retournez donc dans la villa.

Dans le couloir qui mène au salon, tu crois bon de lui mentir :

— Vous vous êtes mis de fausses idées en tête : c'est Monsieur Violet que je soupçonne. J'espérais juste que vous me donneriez un indice confirmant ma thèse.

Il ricane.

— Vous vous y êtes bien mal prise.

Tu ne sais pas s'il t'a crue mais cela devrait te donner un peu d'avance et les coudées plus franches pour continuer ton enquête.

Tu es sur le point d'ouvrir la porte du salon, lorsque tu entends comme une vibration sourde. Tu connais ce bruit...

Si tu te retournes vers Monsieur Olive, va au 80.

Si tu préfères entrer dans le salon en faisant comme si tu n'avais rien remarqué, va au 16.

76

Tu réfléchis encore à la manière de t'y prendre lorsque Madame Leblanc revient, accompagnée de Monsieur Olive. Ils se posent tous les deux sur un sofa en te fixant.

Tu ne peux plus reculer. Tu rassembles ton courage et te lances :

— Monsieur Olive, j'ai acquis la conviction que vous aviez tué le docteur Lenoir ce soir, par jalousie.

Il continue à te regarder sans ciller, comme si l'accusation que tu venais de lui porter ne le touchait pas.

Madame Leblanc, quant à elle, observe son amoureux, en guettant sa réaction.

Leur attitude te trouble.

— Bon ! poursuis-tu. Comme on dit : qui ne dit mot, consent ! Et d'ailleurs, vous auriez tort de nier l'évidence. J'aimerais seulement que vous nous précisiez avec quelle arme vous avez agi ?

Monsieur Olive se décide alors à parler :

— Chère Mademoiselle Rose, je commence à comprendre l'attitude de Monsieur Violet à votre égard et à partager l'opinion qu'il a de vous : vous devriez vous cantonner à votre rôle de potiche ! L'investigation policière est un exercice qui requiert un niveau d'intelligence supérieur au vôtre.

— Je ne vous permets pas ! protestes-tu.

— Je n'ai pas besoin de votre permission pour vous dire ce que je pense. J'ajouterai simplement que, comme vous le savez sans doute, j'ai le bras très long dans le cinéma. Encore une parole calomnieuse de votre part et votre carrière est brisée ! Suis-je assez clair ?

Il se lève et retourne au salon sans un mot de plus.

Vous restez toutes les deux bouche bée. Tu n'avais pas du tout envisagé les choses de cette façon. Peut-être que la présence de Madame Leblanc l'a mis mal à l'aise. Peut-être n'était-il pas judicieux de vouloir le faire avouer devant elle ?

En tout cas, tu dois bien avouer qu'il t'a cloué le bec. Tu n'es pas aussi certaine qu'il ait le bras aussi long qu'il le prétende, mais es-tu prête à mettre ta carrière d'actrice en jeu ? Es-tu prête à prendre un tel risque ?

Non.

Tu as peut-être identifié l'assassin – il te faudra attendre l'arrivée de la police pour en avoir la confirmation, ou pas – mais tu n'as ni ses aveux ni l'arme du crime. Tu as donc échoué dans la mission que tu t'étais attribuée.

Tu étais bien partie, tes déductions étaient fondées, mais tu as péché dans la finition. As-tu dit ton dernier mot ou penses-tu pouvoir progresser ? Il y a certainement d'autres façons d'aborder cette enquête.

Le corps du docteur a été retrouvé dans la salle à manger. Tu es convaincue que l'assassin a agi là, ou en tout cas à proximité immédiate de cette pièce. Il a eu peu de temps pour passer à l'acte et n'a certainement pas pu traverser la maison avec un cadavre sur le dos. De plus, il aurait été essoufflé et cela se serait remarqué.

Peut-être a-t-il commis une erreur ? Même minime ? Peut-être a-t-il laissé un indice sur place que, dans l'affolement de tout à l'heure, vous n'auriez pas vu ?

C'est le bon moment pour aller t'en assurer. Les deux groupes d'hommes et de femmes qui viennent de se former ne vont pas s'envoler !

Pour retourner à la salle à manger afin d'en avoir le cœur net, file au 7.

Un silence pesant fait suite à l'aveu de Monsieur Olive.

— C'est vous ? demandes-tu, incrédule.

— Oui.

— Pourquoi avez-vous fait ça ?

Il semble maintenant calme et résigné.

— Par amour pour Madame Leblanc. Le docteur Lenoir, qui était son ami d'enfance, nous mettait des bâtons dans les roues. Il faisait tout pour nous empêcher de nous rapprocher. Ce soir, il m'a dit en privé des choses que je n'ai pas supportées... C'est moi qui irai en prison, et non Madame Leblanc.

— Des aveux ne suffisent pas, Monsieur Olive. Il faut des preuves !

— Vous trouverez la corde que j'ai utilisée pour l'étrangler, ainsi que les téléphones portables, dans un vase de la salle à manger. La police pourra procéder aux analyses d'empreintes...

La porte du salon s'ouvre alors sur Messieurs Violet et Moutarde.

— Antoine vient d'arriver ! lance Monsieur Violet. Nous l'avons mis au courant de la situation et il est parti alerter la police. Nous serons enfin délivrés d'ici quelques minutes.

Vous pouvez rendre votre tablier de détective du dimanche, Mademoiselle Rose !

Tu ne perds pas tes forces à lui répondre. Tu as gagné et c'est la seule chose qui t'importe. Lorsque la police arrivera, tu pourras leur communiquer le nom du meurtrier, son mobile et l'arme qu'il a utilisée.

Félicitations ! Tu as très bien mené ton enquête. Tu as su faire les bons choix au bon moment : tu viens certainement de jouer le plus grand rôle de ta vie !

Tu suis Madame Leblanc jusqu'à la cuisine en restant très vigilante. Là, elle se sert un verre d'eau au robinet avant de te faire face.

Tu sens son envie de se confier disparaître à grands pas. Plus elle te scrute, plus elle semble t'échapper.

— Faites attention à vous ! t'avertit-elle simplement.

— C'est tout ? réponds-tu.

Déjà, elle sort de la cuisine et retourne au salon.

Tu restes perplexe, ne sachant que faire de son conseil énigmatique.

On dirait bien qu'il ne te reste plus qu'à te pencher sur les deux pistes masculines.

Si tu choisis Monsieur Olive, va au 63.

Si tu préfères Monsieur Moutarde, va au 26.

Tu te retournes pour jeter un œil à Monsieur Olive qui paraît soudain beaucoup moins sûr de lui. Malgré ta prudence, il a saisi que tu avais compris ! Son téléphone a vibré au mauvais moment. Et s'il a encore son téléphone avec lui, cela veut dire qu'il est le coupable, puisque tous les convives en ont soi-disant été démunis !

Malheureusement pour toi, la conviction que tu as désormais de sa culpabilité ne fait pas les affaires de Monsieur Olive. Tu veux faire comme si tu n'avais rien entendu, mais à peine as-tu retourné la tête vers la porte qu'il t'assène un grand coup sur le crâne.

Tu perds aussitôt connaissance.

Bien entendu, quand tu reviens à toi, Monsieur Olive s'est envolé. Il a quitté la propriété du docteur sans passer par la case salon.

Tu as beau avoir découvert l'identité du meurtrier, tu as tout de même perdu. Pire : tu as permis qu'il s'échappe avant l'arrivée de la police.

Quel dommage ! Ce dernier regard
t'a été fatal. Tu avais pourtant bien manœuvré !
Un conseil : prends moins de risques lors
de ton prochain essai.

Vous êtes tous convaincus de la culpabilité de Monsieur Olive et cela vous suffit. La police fera le reste.

Tu tiens à garder les commandes pour le bon déroulement de la fin de l'histoire.

— Monsieur Moutarde, filez à l'entrée de la propriété pour être sûr que Monsieur Olive ne s'échappe pas. Monsieur Violet et Madame Leblanc, postez-vous dans le jardin, moi je retourne devant la porte de la salle à manger avec Madame Pervenche. Soyez extrêmement prudents, des fois que l'assassin aurait envie de récidiver !

Vous vous déployez et n'avez plus qu'à attendre l'arrivée d'Antoine. Ce n'est plus qu'une question de minutes.

FIN

Tu as résolu une partie de l'énigme : tu as réussi à identifier le meurtrier. Mais tu ignores encore son mobile et avec quelle arme il a tué le docteur. Il existe plusieurs méthodes pour obtenir les réponses à toutes ces questions. Te sens-tu capable de les découvrir ?

En tout bon enquêteur, il y a un espion qui sommeille ! Tu ne sais plus qui a dit ou écrit cette devise, mais tu la partages et veux tester tes talents en matière d'espionnage.

Maintenant que tu as réduit le nombre des suspects à trois, tu vas orienter ton observation sur le comportement de Madame Leblanc et de Messieurs Moutarde et Olive.

Pour retourner vers la salle à manger où tu as laissé le groupe, va au 91.

83

Tu t'approches de Monsieur Olive, pleine de compassion.

— Vous avez l'air soucieux, quelque chose ne va pas ? lui demandes-tu.

— Non, pas du tout, je vous assure, se défend-il.

— Ça vous dirait d'aller faire quelques pas dans le jardin ?

Il te regarde au fond des yeux et tu donnerais cher pour savoir quelles sont les pensées qui traversent son esprit. Tu t'attends à un refus mais tu te trompes :

— Pourquoi pas ? finit-il par répondre.

Vous vous retrouvez tous les deux dans le jardin du docteur Lenoir et déambulez en silence. Jusqu'à ce que tu entres dans le vif du sujet. Et tu décides d'y aller au bluff :

— On voit beaucoup de choses d'ici, n'est-ce pas ?

— Que voulez-vous dire, Mademoiselle Rose ?

— Eh bien, à travers cette fenêtre, par exemple, on voit très bien ce qui se passe dans la salle à manger...

Monsieur Olive s'arrête instantanément de marcher. Il te fixe comme pour essayer de capter ce que tu sais. Et c'est pour toi presque comme un aveu. S'il n'avait rien à se reprocher, il manifesterait de l'indifférence ou de l'incompréhension. Or c'est un début de panique que tu lis dans ses yeux. Et la suite te donne raison : tu reçois soudain la gifle la plus magistrale que tu aies jamais reçue. Tu es sonnée, tu vois trente-six chandelles, et sans doute un peu plus. Comme si ça ne suffisait pas, Monsieur Olive t'assène un autre coup sur le sommet du crâne. Cette fois, tu ne vois pas avec quoi il tape, mais le résultat ne se fait pas attendre : tu t'évanouis.

Quand tu recouvres tes esprits, quelques secondes plus tard, tu es seule dans le jardin. Monsieur Olive a filé !

Ton initiative était bonne mais elle a échoué. Tu as mal évalué les risques en provoquant ainsi Monsieur Olive. Certes, tu l'as démasqué, mais il a fui, emportant avec lui son mobile, et tu ignores l'arme qu'il a utilisée. La police n'appréciera pas beaucoup ton action.

Ne te décourage pas et recommence
en mesurant les conséquences possibles
de toutes tes initiatives.

84

Monsieur Moutarde t'a paru particulièrement nerveux tout à l'heure, lorsque tu espionnais le groupe depuis le couloir. Pour toi, c'est le signe qu'il a quelque chose à cacher.

Tu décides de ne pas attendre d'être au salon pour lui parler. Tu lui tapotes discrètement l'épaule alors que vous passez devant la cuisine.

Il se retourne brusquement.

Tu lui fais un petit signe en direction de la porte. Il t'emboîte le pas sans un mot et vous vous enfermez dedans.

Tu laisses alors s'exprimer l'actrice qui est en toi et sors le grand jeu :

— Monsieur Moutarde, j'ai beaucoup réfléchi ce soir, et j'ai découvert que vous étiez l'assassin du docteur Lenoir ! déclames-tu.

Ce n'est pas du Shakespeare, mais tu improvises comme tu peux. Lui te regarde, l'air hagard.

— Je suis heureuse de constater que vous ne cherchez pas à nier l'évidence.

— Ça ne m'empêche pas de penser autrement, rectifie-t-il.

— Comment ça ?

— Je garde mes propres observations pour la police.

— Comme vous voudrez, fais-tu, un peu vexée. Quoi qu'il en soit, sachez que j'en ai parlé à tous les autres convives individuellement, à un moment ou à un autre de la soirée, et personne n'a émis la moindre objection. Je dirais même plus : ils n'avaient même pas l'air étonné.

Monsieur Moutarde ne fait pas de commentaires.

Son absence de réaction t'agace ! D'après toi, un coupable cherche toujours à s'innocenter d'un crime. Lui te laisse déverser tes accusations sans broncher, comme si ça ne lui faisait ni chaud ni froid. Son indifférence te trouble.

Soudain la porte s'ouvre sur Madame Leblanc.

— J'ai attendu que vous ayez quitté la salle à manger pour la fouiller, lance-t-elle sans tenir compte de la présence de Monsieur Moutarde.

— Et alors ? demandes-tu.

— J'ai trouvé l'arme du crime ! Le docteur a été tué avec une corde que l'assassin a négligemment déposée dans un vase. Je me suis bien gardée de poser les doigts dessus, naturellement, inutile d'y ajouter mes empreintes.

Tu observes Monsieur Moutarde dont le visage demeure impassible. Aucune expression de surprise ou de panique : rien !

— Et moi, j'ai trouvé le meurtrier, répliques-tu en ne quittant pas des yeux Monsieur Moutarde. Comme vous pouvez le constater, il ne nie pas les faits : Monsieur a décidé de rester silencieux...

— Très intéressant ! commente Madame Leblanc. Nous formons une équipe épatante, toutes les deux ! Nous n'avons plus qu'à aller informer le reste du groupe et tenter d'extorquer son mobile à notre docile coupable.

— Allons-y ! conclus-tu, un peu perplexe.

Monsieur Moutarde vous obéit sans se rebiffer, comme si vous lui proposiez d'aller cueillir des champignons.

 Va au 46.

85

Pas question de suivre un de tes plus sérieux suspects hors de la villa ! Le risque est trop grand. Si Monsieur Olive avait des choses importantes à te dire, pourquoi ne l'a-t-il pas fait à la cuisine quand tous les autres savaient que vous y étiez ?

— Non, merci, réponds-tu. J'aime autant rester là.

Quelque chose d'autre te travaille : pourquoi Madame Leblanc ne donne-t-elle pas suite à votre début de collaboration ?

Tu te mets à la fixer en attendant de croiser son regard.

Monsieur Olive repère ton manège et s'en amuse :

— Que cherchez-vous à lire sur le visage de Madame Leblanc ?

— Qu'est-ce que ça peut vous faire ?

— Oh oh ! On a ses petits secrets, je vois...

— Laissez-moi tranquille ! rétorques-tu, agacée par son comportement.

— Très bien.

Il s'éloigne pour aller engager une conversation avec Monsieur Violet.

Madame Leblanc daigne enfin poser son

regard sur toi et tu en profites pour lui adresser un clin d'œil, tout sauf discret.

Ensuite, comme vous en êtes convenues toutes les deux, tu quittes le salon pour te réfugier dans la salle de bains.

 Va au 70.

Tu sors de la chambre d'amis et la suis en faisant délibérément claquer tes talons sur le carrelage.

Madame Leblanc se retourne, surprise, et vous vous faites face.

— Où allez-vous ? demandes-tu.

Sa bouche peinte en rouge reste fermée.

— Je vous observe depuis un petit moment. Vous n'avez pas l'air dans votre assiette. Quelque chose ne va pas ?

— Au cas où cela vous aurait échappé, le docteur Lenoir nous a quittés ce soir, te répond-elle d'un ton ironique.

Tu es confuse.

— Je voulais dire : vous ne vous sentez pas bien ?

— Suivez-moi ! lâche-t-elle après t'avoir intensément sondée du regard.

Ça te paraît plutôt tentant. Mais ça pourrait être un piège, si c'est elle la coupable...

 Si tu ne lui fais pas confiance et refuses de la suivre, va au 65.

Dans le cas contraire, va au 18.

Tu optes pour le tête à tête parce que tu penses que Monsieur Olive ressentira moins de pression et pourra ainsi s'exprimer plus librement.

Tu as bien sûr ta petite idée pour te retrouver seule face à lui...

Tu laisses Madame Leblanc au bureau en lui demandant de bien vouloir occuper les autres pendant que tu cuisineras Monsieur Olive. Elle s'inquiète un peu des recettes que tu comptes appliquer mais finit par accepter.

Pour retrouver le groupe au salon, va au 31.

— Hé là ! On dirait que notre Hercule Poirot en herbe prend de l'assurance !

Monsieur Violet t'observe d'un air ironique qui ne te plaît pas du tout. Mais tu essaies de l'ignorer et de te concentrer sur Madame Leblanc.

— Et moi alors ? insiste Monsieur Violet, toujours sur le même ton. Je n'ai pas droit à vos petites questions ? Vous ne voulez pas savoir si j'ai déjà joué au gendarme et au voleur avec le docteur ?

Cette fois, il dépasse les bornes et tu t'emportes :

— Fichez-moi la paix, Monsieur Violet !

— Vous êtes peut-être une comédienne respectable, Mademoiselle Rose, mais vous faites une piètre scénariste. Et votre insistance à vous prendre pour une inspectrice embarrasse tout le monde. Contentez-vous de votre rôle d'actrice en mal de tournage !

— Grossier personnage !

Tu es terriblement vexée et tu te sens incapable de poursuivre ce que tu as commencé. Une seule chose te fait envie : gifler ce mufle de Monsieur Violet et lui faire avaler sa chemise à carreaux !

Tu te replies sur toi et t'enfermes dans le mutisme.

Tu as essayé de résoudre cette énigme mais tu n'y es pas parvenue.

Pourquoi ne pas reprendre l'enquête à zéro et repartir sur d'autres choix ?
Peut-être parviendras-tu à déjouer les sarcasmes de Monsieur Violet ?

89

Tu te mets à sangloter.

— Je ne sais pas, réponds-tu à Monsieur Moutarde. Je suis triste, voilà tout. Je n'arrive pas à croire ce qui s'est passé ce soir, c'est vraiment un choc pour moi !

Les convives du docteur t'observent attentivement. On dirait que leurs regards perdent de leur agressivité. Ton petit numéro fonctionnerait-il ? Tu décides d'en remettre une couche.

— Je ne sais pas comment vous faites pour garder votre sérénité... Je suis désolée de vous avoir heurtés. Je ne voulais pas manquer de respect, ni à vous ni au docteur : je voulais juste nous trouver une occupation afin d'éviter d'avoir à penser à ce qui nous retient ici...

Madame Leblanc s'approche de toi et pose sa main sur ta joue.

— Calmez-vous, Mademoiselle Rose. Personne ne vous en veut.

— Nous ne sommes pas maîtres de nos réactions ce soir, ajoute Madame Pervenche.

Monsieur Moutarde enfonce ses mains dans les poches de son jean.

— Nous vous devons des excuses, nous aussi. On est tous sur les nerfs.

Monsieur Olive approuve d'un hochement de tête.

— Finalement, votre idée n'était pas si mauvaise, concède Monsieur Violet. Je veux bien participer à votre jeu. Ce sera toujours moins angoissant que d'attendre la police en regardant les mouches voler.

Bravo ! Tu as réussi à retourner la situation en ta faveur. Tout le monde est à présent prêt à jouer avec toi.

— Allons au salon ! proposes-tu en reniflant, nous y serons plus à l'aise.

Ça te laisse le temps de réfléchir à la suite des événements...

 Va au 45.

L'insistance de Monsieur Olive t'intrigue. Après tout, il s'est peut-être décidé à te parler ?

— Volontiers, réponds-tu.

Tu le suis jusqu'au jardin où vous entamez une petite promenade. Tu dois prendre les devants et ne pas le laisser te coincer comme cela s'est produit dans la cuisine.

— Je suppose que vous aimeriez savoir quelles cartes j'ai en main, lui dis-tu.

— Quelles qu'elles soient, je pense que les miennes sont supérieures aux vôtres, répond-il habilement. Ce sont ce qu'on appelle des cartes maîtresses ! Donc ma réponse est non : je me fiche de ce que vous savez.

— Alors pourquoi m'avoir entraînée ici ?

— Pour le plaisir de discuter avec vous.

Si cette promenade te paraît soudain stérile, voire dangereuse, va au 75.

Mais si tu tiens vraiment à savoir pourquoi Monsieur Olive t'a entraînée dans le jardin, va au 38.

Tu as laissé la porte de la salle à manger entrouverte et tu la retrouves dans la même position. Cela signifie que personne n'en est sorti et donc que ton absence n'a pas éveillé les soupçons.

Tu décides de rester dans le couloir, sur le pas de la porte. Par l'entrebâillement, tu aperçois les convives du docteur. Personne ne remarque ta présence.

Tu tends l'oreille pour essayer de capter des bribes de leur conversation, mais tu n'y parviens pas vraiment. Tu te concentres alors sur le comportement des suspects. Monsieur Moutarde te semble nerveux : il joue machinalement avec un trousseau de clés qu'il fait sauter dans sa main. Madame Leblanc est silencieuse. Elle paraît éteinte, ce qui, la concernant, est assez inhabituel. Elle n'est pas avocate pour rien et d'ordinaire, elle remue beaucoup d'air et n'est pas avare de grandes déclarations. Quant à Monsieur Olive, on dirait qu'il est le seul à se sentir à l'aise : son visage est détendu. De là où tu te trouves on pourrait même croire qu'il est en train de plaisanter.

Si tu penses qu'il ne servirait à rien de continuer à les espionner et qu'il vaut mieux rejoindre le groupe, va au 10.

Si, au contraire, tu préfères les observer secrètement encore un peu, va au 30.

92

Quelques minutes plus tard, vous êtes assis face à face et disposez vos pions sur l'échiquier.

Tu n'as pas l'intention de perdre de temps, et d'ailleurs tu es assez nulle aux échecs.

— J'ai appris beaucoup de choses au cours de cette soirée, lui dis-tu.

— Vraiment ?

— Entre autres que l'assassin revient toujours sur les lieux du crime.

— Vous lisez beaucoup de romans policiers...

— Il l'a prouvé ce soir !

Cette fois, la parade ne vient pas. Tu lui racontes ta petite promenade dans le jardin et ajoutes :

— Mais le meurtrier a commis une erreur en retournant dans la salle à manger.

Monsieur Olive te fixe.

— Vous voulez savoir laquelle ? demandes-tu.

Il ne te répond pas.

— Il a fumé une cigarette qu'il a abandonnée sur place. J'ai retrouvé le mégot : il n'avait pas de filtre... Et vous êtes le seul à fumer des cigarettes sans filtre parmi nous.

Il se met à ricaner.

— Ça ne prouve rien du tout ! Je peux très

bien en avoir offert une à l'un d'entre nous...

— En effet, avoues-tu. Mais que faites-vous des empreintes laissées dessus ? Je vous rassure, le mégot est en lieu sûr.

Monsieur Olive se tord sur sa chaise.

— Pourquoi prenez-vous de tels risques, Mademoiselle Rose ? Je pourrais réellement être l'assassin et vous tordre le cou pour que vous me disiez où se trouve ce fichu mégot.

— Non, vous ne le feriez pas. Vous n'êtes pas un serial killer. Vous regrettez déjà votre geste et n'êtes pas prêt à recommencer. Votre nervosité grandissante vous a trahi.

— Vous êtes très forte, Mademoiselle Rose. Mais si vous vous attendez à des aveux de ma part, vous vous mettez le doigt dans l'œil.

— Non, je mets le doigt sur la vérité. Vous êtes un impulsif. Je parierais sur un crime passionnel. Qu'en dites-vous ?

Pour la première fois depuis le début de cette conversation, ton interlocuteur baisse les yeux. Tu sens qu'il éprouve le besoin de se confier.

— C'est vrai, je suis très amoureux de Madame Leblanc. Le docteur Lenoir était un obstacle entre nous.

Il balaie d'un revers de main les pions sur l'échiquier.

— Vous avez gagné la partie, Mademoiselle Rose. Retournons au salon, voulez-vous ?

Tu n'objectes pas.

Monsieur Olive t'en a assez dit. Il garde ses aveux pour la police et ça te va très bien.

Vous rejoignez les autres au salon quand le majordome arrive enfin. Tu as gagné !

Il te manque l'arme du crime,
mais tu as remarquablement manœuvré
pour faire parler le coupable. Ta psychologie a
payé, bravo ! Tu peux tout de même reprendre
l'enquête depuis le début pour tenter de
résoudre le meurtre dans son intégralité.

l te reste exactement dix-neuf minutes à patienter au salon avec les amies du docteur avant l'arrivée d'Antoine. Ajoute les treize minutes qu'il lui faudra pour se rendre au commissariat et en revenir avec l'inspecteur Lapipe et ses hommes, et cela fait précisément trente-deux minutes.

Trente-deux longues minutes au cours desquelles tes certitudes fondent peu à peu. Et si Madame Leblanc n'avait rien à voir avec ce meurtre ? Et si tu t'étais emballée un peu trop vite ? Et si l'assassin se trouvait parmi les trois convives du docteur que tu as autorisés à partir ? Et si tu avais fait une grossière erreur ?

C'est à peu près ce que te résume l'inspecteur Lapipe lorsqu'il a pris le temps de s'informer sur la situation :

— Mademoiselle Rose, vous êtes une cruche !

C'est sa manière à lui de te dire que tu t'es bel et bien engouffrée dans une mauvaise voie.

Madame Leblanc est innocente. Il n'a pas fallu longtemps à l'inspecteur pour s'en convaincre. Et il y a fort à parier que le meurtrier est loin maintenant.

Ton excès de confiance t'a fait perdre. On n'accuse pas quelqu'un de meurtre à la légère.

Et, plus grave encore : tu as probablement aidé le coupable à fuir.

Retente ta chance en prenant
garde aux déductions trop hâtives,
cette fois-ci !

DANS LA PREMIÈRE AVENTURE CLUEDO
INCARNE MONSIEUR MOUTARDE
ET TENTE DE RÉSOUDRE LE MEURTRE
DU DOCTEUR LENOIR

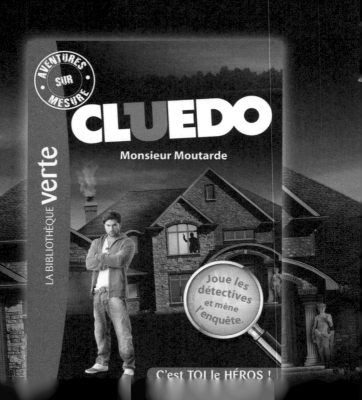

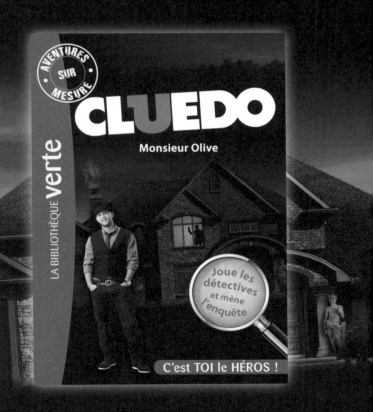

RETROUVE D'AUTRES
AVENTURES SUR MESURE
ANS LA BIBLIOTHÈQUE VERTE !

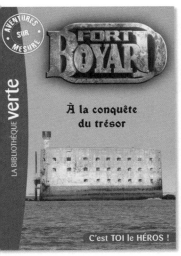

À la conquête du trésor   Les mystères du Fort

Tu as toujours rêvé de participer
à Fort Boyard ? N'attends plus !
Viens mesurer ta force et ton courage dans les célèbres
épreuves du Fort et tente de décrocher les clés qui
t'ouvriront la salle du Trésor.
ur remporter les boyards, tu devras résoudre des énigmes...
et faire les bons choix. Tu es prêt ?

À toi de jouer !

La voie du Jedi

La bataille de Teth

Tu as toujours rêvé d'être un Jedi ?
C'est possible ! Vis des aventures extraordinaires
dans l'univers de Star Wars – The Clone Wars.

Mission spéciale

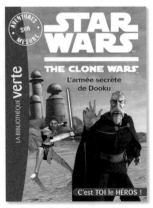

**L'armée secrète
de Dooku**

ET AUSSI...

Le choix de Dastan

Une invasion se prépare.
Elle va changer le cours de
l'Histoire... et de ta vie.
Le destin du monde est
entre tes mains.
Choisiras-tu de le sauver
ou de le détruire ?

Le destin de Tamina

C'est à toi
de décider !

Pars à l'aventure avec Koh-Lanta !
Réussiras-tu à te dépasser
dans les épreuves ?
À former les bonnes alliances ?
Feras-tu les bons
choix pour parvenir jusqu'aux
poteaux ?
C'est à toi de jouer !

Tu es prêt ?
À toi de jouer !